DIFFUSION

Pour tous les pays
Éditions Naaman
Naaman Dilif
C.P. 697
SHERBROOKE
(Québec, Canada)
J1H 5K5   Tél.: (819) 563-1117

En France
L'École
Cluf
11, rue de Sèvres
75006 PARIS
(France)   Tél.: 222-94-10

EN VENTE

En Afrique noire
Éditions CLÉ, B.P. 1501, Yaoundé (Cameroun). — Librairie «Jeunesse d'Afrique», B.P. 1471, Ouagadougou (Haute-Volta).

En Allemagne
Dokumente-Verlag, Postfach 1340, D 7600 Offenburg/Baden (Allemagne).

Au Canada
John Coutts Library Services Limited, 4290, Third Avenue, Niagara Falls (Ontario, Canada) L2E 4K7.

Aux États-Unis
The Baker & Taylor Company, 501, Gladiola Avenue, Momence, Illinois 60954 (U.S.A.). — Blackwell North America, Inc., 1001, Fries Mill Road, Blackwood, New Jersey 08012 (U.S.A.). — Blackwell North America, Inc., 6024, S. W. Jean Road, Building G., Lake Oswego, Oregon 97034 (U.S.A.). — Info 21 Booksellers, P.O. Box 12, El Cerrito, California 94530 (U.S.A.).

En France
Librairie L'Harmattan, 16, rue des Écoles, 75005 Paris (France).

En Grande Bretagne
Grant & Cutler Ltd, 11, Buckingham Street, Strand, London, WC2N 2DQ (Great Britain).

En Haïti
Librairie Emmanuel Schutt-Aîné, 89-97, rue Pavée, B.P. 613, Port-au-Prince (Haïti). — Librairie L'Action sociale, 147, rue Roux, B.P. 2471, Port-au-Prince (Haïti).

Au Maroc
Smer-Diffusion, 3, rue Ghazza, Rabat (Maroc).

En Suisse
Les Éditions Sans Frontière, 94, Taillepied, 1095 Lutry (Suisse).

Et chez votre libraire.

Envoi, sur demande, du catalogue général:
Auteurs de langue française.

LE TEMPS ET LA FORME

Collection «ÉTUDES*»
dirigée par le professeur Antoine Naaman

PRODUCTION 1983

38. Pierre Hébert (Toronto). *Le Temps et la Forme: essai de modèle et lecture de trois récits québécois: «L'Appel de la race» de Lionel Groulx, «Poussière sur la ville» d'André Langevin et «Quelqu'un pour m'écouter» de Réal Benoit,* p. 000.

À PARAÎTRE

— *«L'Enfant noir» de Camara Laye: sous le signe de l'éternel retour.* Jacques Bourgeacq (Iowa City).
— *Le Héros et son double: essai sur «Le Journal d'un curé de campagne» de Georges Bernanos.* Slava M. Kushnir (Kingston, Ontario).
— *Décors et décorum: enquête sur les objets dans le théâtre d'Arrabal.* Photographies. Albert Chesneau (Toronto/Saint-Étienne).
— *Le Dilemme du roman marivaudien.* Samia I. Spencer (Auburn, Alabama).
— *Les Techniques picturales chez Malraux: interrogation et métamorphose.* Paul Raymond Côté (Montréal).

Mai 1983

*Voir à la page 111, les numéros 1-30.

Pierre HÉBERT

Université de Toronto

LE TEMPS ET LA FORME

ESSAI DE MODÈLE ET LECTURE
DE TROIS RÉCITS QUÉBÉCOIS

L'Appel de la race
Poussière sur la ville
Quelqu'un pour m'écouter

ÉDITIONS NAAMAN

C.P. 697,
SHERBROOKE (Québec, Canada)
J1H 5K5

Cet ouvrage a été publié grâce à une subvention de la Fédération canadienne des études humaines, dont les fonds proviennent du Conseil de recherches en sciences humaines du Canada.

Ce livre, bien qu'il s'en éloigne considérablement, tire son origine d'une thèse de doctorat dirigée par M. Louis Francoeur, de l'Université Laval; je tiens à lui exprimer toute ma gratitude pour la manière sûre et compétente avec laquelle il a dirigé cette recherche.

ISBN 2-89040-250-9

© Éditions Naaman de Sherbrooke, Québec, Canada
Dépôt légal, 2e trimestre 1983
Bibliothèque nationale du Québec, Montréal
Bibliothèque nationale du Canada, Ottawa

INTRODUCTION

Quelle que soit la profondeur à laquelle on creuse, dit un proverbe, si l'on n'atteint pas la source, les efforts auront été vains. À la quête de cette source, chacun d'eux croyant l'avoir trouvée ou à tout le moins entrevue, les critiques littéraires fouillent depuis des siècles les oeuvres littéraires qui s'offrent à l'analyse. Or, face à ces récits innombrables, de tout temps, de toutes langues, quel est ce Graal tellement convoité par les chirurgiens de la littérature qu'ils en arrivent parfois à se battre entre eux pour la même cause?

Au long de cet interrogatoire mené sous toutes sortes d'éclairages, la littérature a livré des aveux variés, voire contradictoires. Ainsi, interrogée par Aristote, elle nous a révélé la nature de ses parties et la façon de présenter sa fable, «si on veut que la composition poétique soit belle»; beaucoup plus tard, devant Boileau, elle a feint de se plier à des règles — tout historiques! — d'unité; elle a bien voulu faire plaisir à Sainte-Beuve et faire part de «l'homme et son organisation» au delà de son texte; elle a même fait croire aux Russes qu'elle allait leur livrer les secrets de sa littérarité, promesse qu'elle n'a pas vraiment tenue... Aujourd'hui encore, elle daigne répondre aux formalistes, aux structuralistes, aux poéticiens, aux marxistes, aux sémioticiens... et à qui d'autre encore!

Quelles questions allons-nous maintenant lui poser?

Sachons gré aux structuralistes de nous avoir appris (ou rappelé!) que le texte particulier tire sa cohésion de ses relations horizontales (liaisons des éléments à un niveau donné) et verticales (liaisons d'un niveau à l'autre). Signalons l'apport des poéticiens: leurs théories internes de la littérature ont engendré des modèles qui ont mis en pleine lumière les éléments constitutifs du récit littéraire. Comment ne pas tenir compte des marxistes, persuadés que la littérature s'inscrit dans la superstructure idéologique et que sa littérarité est essentiellement historique? Et à ces visées ajoutons enfin celles des sémioticiens qui, malgré leurs mésententes sur la définition et l'objet de leur discipline, ont le mérite d'avoir défini la place de la littérature au sein des autres systèmes de communication. Chacune de ces voies, qui se contente habituellement de saluer sa voisine par un hochement de tête discret tout en prenant bien garde de lui tendre la main, comporte des réalisations, des promesses, mais aussi des limites. Les structuralistes ont bien de la difficulté à souder tous les éléments d'un récit littéraire; les poéticiens ont arraché du texte plusieurs catégories et figures dont ils ont peine à montrer l'organisation concrète; les marxistes veulent lire idéologiquement le récit, mais réussissent-ils à s'évader du mythe de la forme et du contenu? Et les sémioticiens, bien souvent hélas, traduisent en mots savants, qui n'ajoutent rien à la connaissance, des réalités qui n'ont de neuf que l'habit.

Nous n'ambitionnons pas d'unifier toutes ces approches du récit littéraire. Le but de ce livre sera plutôt d'ouvrir, face au texte particulier, une voie possible pour, premièrement, faire apparaître l'organisation des éléments, quels qu'ils soient, qui constituent le récit, et que nous nommerons désormais signes, en démontrant la nature temporelle de cette structuration et, deuxièmement, en mettant à contribution la théorie de l'information, montrer comment cette forme temporelle crée dans le texte des espaces que nous appellerons sémantiques. Il va sans dire qu'il s'agit là d'une nouvelle conception du temps et de l'espace du récit littéraire (ce dernier constituant notre objet): nous montrerons la liaison nécessaire de ces deux dimensions au point que celles-ci n'en formeront qu'une, et nous postulons dès maintenant que toute lecture ou toute interprétation du récit doit tenir compte de son espace-temps, cette forme vide, certes, mais qui balise le sens qu'on veut y déposer. La lecture de trois oeuvres québécoises innervera cette approche théorique: L'Appel de la race (Lionel Groulx, 1922); Poussière sur la ville (André Langevin, 1953); Quelqu'un pour m'écouter (Réal Benoit, 1964). Ce n'est pas par hasard, bien sûr, que nous avons choisi des récits de genres différents: roman à thèse, roman psychologique, nouveau roman. Nous désirons ainsi démontrer la flexibilité de la méthode de travail que nous allons proposer et permettre une lecture des formes signifiantes de ces récits du XXe siècle.

PREMIÈRE PARTIE

APPROCHE THÉORIQUE:
LA THÉORIE DE L'INFORMATION ET
L'ESPACE-TEMPS DU RÉCIT LITTÉRAIRE

La mesurabilité de l'information

Nous sommes convenus, de nos jours, de considérer le récit littéraire comme un processus intentionnel de communication, où des auteurs livrent un message à des lecteurs, au moyen d'un système qui reproduit la dichotomie émetteur-récepteur, désignés par les termes narrateur-narrataire.

De plus, il faut distinguer, dans le récit, langage et message: «Le langage d'une oeuvre est une donnée qui existe avant l'élaboration du texte concret, et qui est semblable pour les deux pôles de la communication [...]. Le message est l'information qui surgit dans un texte donné[1].» Cette distinction recoupe, *mutadis mutandis*, celle que l'on désigne par histoire et discours, établie par Vladimir Propp il y a cinquante ans. Mais qu'est-ce qui, dans ce système à deux paliers, véhicule de l'information? Le plan du langage (histoire) est beaucoup trop général pour permettre la mise à jour de l'information spécifique d'un récit. Cela veut-il dire que nous nous tournerons vers le message (discours)? Oui, mais il faut aller plus loin si l'on veut que l'information transmise par le discours se différencie de l'information livrée par la surface linguistique. À quel niveau, alors, situer l'information propre au récit littéraire?

Abraham Moles pose avec plus de précision ces deux types d'information, sémantique (celle du langage) et esthétique (celle du message): l'information sémantique relève de ce qui est stable à travers plusieurs textes, et l'information esthétique — celle qui nous intéresse ici plus particulièrement — désigne l'originalité, c'est-à-dire la complexité de l'arrangement des signes pris en charge par le discours. Or, puisque notre but est de faire apparaître l'information propre au récit littéraire, nous situerons celle-ci au niveau du discours ou, pour reprendre Moles, au niveau esthétique, certes, mais plus encore, nous ne quêterons pas cette information sur le plan de la surface linguistique de ce discours.

---

1. Iouri Lotman. *La Structure du texte artistique*, p. 44.
2. *Ibid.*, p. 52.

«La littérature parle un langage particulier qui se superpose à la langue naturelle comme système secondaire[2]», et, en souscrivant à cette affirmation de Lotman, nous sommes entraînés, sous la surface linguistique, au niveau de la complexité des signes, de leur arrangement:

> L'esthétique informationnelle admet que toute expression artistique est un *phénomène de communication.* [...] L'esthétique informationnelle applique au monde des formes un *système de mesure,* cherche à dégager objectivement les *caractères physiques* et les *propriétés statistiques* du message et de son expérience perceptive par l'individu[3].

Le projet que propose Moles, mesurer l'information d'un message, fait du médium (le discours) non seulement un moyen de transmission, mais le message même, grâce à la mesure de l'assemblage de ses signes constitutifs: plus cet assemblage est complexe ou original, plus il est informatif. L'information des signes d'un discours se présente comme proportionnelle à leur complexité.

Voilà ainsi posé notre champ de travail: écarter l'aspect idéel, désigné habituellement par sens ou signification, au profit de son aspect matériel, l'information, et, à cet effet, la théorie de l'information, posant la complexité comme source d'information, ouvre la voie à l'utilisation d'un système de mesure pour établir l'information. L'information d'un texte ne sera plus entre les mains d'un lecteur, si compétent soit-il, mais relèvera de l'application d'un modèle de mesure de cette complexité des signes. Ce nouveau-venu, le modèle de mesure, libère une interrogation: par quels procédés arrivera-t-on à dégager de manière quantifiable l'information d'un discours romanesque?

On sait qu'un réseau complexe s'impose, obtient du relief par la récurrence de ses éléments: à cette «aptitude d'une ordination d'un phénomène à faire surgir des formes, nous donnerons le nom de périodicité [...][4]». La périodicité, la répétition, quand elle est régulière, crée un rythme qui conduit droit à ces réseaux de complexité. Et Moles ajoute: «l'existence même d'une forme temporelle apparaît donc comme mesurable [...][5]». Voilà une affirmation décisive dans notre cheminement: un réseau complexe, véhicule d'information, s'affirme comme temporel en ce

---

3. Abraham Moles. *Art et ordinateur,* p. 15.
4. A. Moles. *Théorie de l'information et perception esthétique,* p. 72.
5. *Id.,* p. 75.
6. Nicolas Ruwet. *Langage, musique, poésie,* p. 111.

que les éléments qui le composent s'organisent de telle sorte que la mesure semble convenir en vue de sa connaissance. Nicolas Ruwet avait déjà affirmé que «deux événements concrets ne sont jamais identiques[6]», et il avait plus que raison: comme ils ne peuvent arriver simultanément dans un texte, leur localisation spatio-temporelle leur interdit l'identité. Ces positions différentielles, contributions à l'édification de la complexité d'un discours, doivent être scrupuleusement mises à jour dans le but de préserver l'intégrité, la spécificité des signes. Ce qu'il y a d'essentiel, d'unique dans un texte ne peut être extrait de celui-ci, ne se prête à aucun résumé, et répugne même à se trouver dans une anthologie: le texte est sa seule explication, ou mieux, hors du déroulement textuel intégral, point d'information possible.

Un retour au propos initial de cette section nous rappellera donc que l'esthétique informationnelle envisage objectivement l'oeuvre d'art comme moyen de communication, cherchant à dégager, par un système de mesure, la structure du stimulus esthétique. Parce qu'elle est composée d'éléments groupés selon un arrangement ne relevant pas du hasard, cette structure présente des groupements plus ou moins complexes, et cette complexité définit sa valeur informative:

> [...] la complexité de la structure se présente dans une dépendance directe avec la complexité de l'information transmise. La complexification du caractère de l'information entraîne inévitablement la complexification du système sémiotique utilisé pour le transmettre[7].

La tâche de l'analyste, donc, face à un discours-occurrence, sera d'en mesurer la complexité, la valeur informative: «L'information est en fait une mesure de la *complexité* des patterns proposés par la perception. Complexité et information d'une structure d'une forme ou d'un message sont synonymes[8].» Et cette mesure découlera de l'application d'un modèle temporel que nous étaierons à la prochaine section. Nous voici donc près du Rubicon, puisque nous avons un pas décisif à franchir: démontrer le lien entre l'information et le temps et, à cette fin, proposer une nouvelle approche, la temporalité textuelle.

Le temps

Ordre temporel, temps de lecture, de l'écriture, de l'écrivain, du discours, du lecteur, de l'histoire, temps discursif, externe, histo-

---

7. I. Lotman. *Op. cit.*, p. 37.
8. A. Moles. *Théorie de l'information et perception esthétique*, p. 62.

rique, interne, linguistique, narratif: voilà la brochette de termes que l'index du *Dictionnaire encyclopédique des sciences du langage* (Ducrot et Todorov) nous propose pour nous convaincre de la polysémie du mot *temps*. Dans la discussion que nous entreprenons sur ce sujet, nous prendrons pour point de départ deux travaux qui nous paraissent s'imposer par leur rigueur et leur pertinence: *Figures III*, de Gérard Genette[9] et *Le Temps* d'Harald Weinrich[10].

L'on sait que Gérard Genette, après avoir établi les trois aspects de la réalité narrative, la narration, le discours narratif et l'histoire, tire deux dimensions temporelles désignées par le «temps du discours» et le «temps de la narration», le temps du discours résultant d'une mise en rapport entre le temps des événements dans l'histoire et leur traitement temporel dans le discours, et le temps de la narration, d'une confrontation entre l'instance narrative et l'histoire.

Le travail accompli par ce poéticien représente certes l'une des synthèses les plus réussies sur le sujet. Nous voulons cependant attirer l'attention sur le caractère plutôt référentiel de cette systématisation.

Todorov, dans ses propos au sujet du rapport temporel entre l'histoire et le discours, affirme que la rupture de la causalité permet de percevoir les déformations temporelles: «quand le *post hoc, ergo propter hoc* est brisé et que B précède A alors qu'il est effet de A, la rupture temporelle ou l'anachronie devient perceptible[11].» Nul doute à ce sujet: puisque nous savons que l'obstacle à éliminer doit suivre logiquement l'amélioration à obtenir, nous pouvons parler d'une temporalité brisée si l'amélioration à obtenir arrive en second lieu dans le discours. Ajoutons toutefois aux dires de Todorov que ce n'est pas seulement la logique narrative qui rend possible une perception du temps, mais aussi — une évidence que Todorov a omis de signaler — la notation chronologique. Ainsi, dans la phrase «M., après s'être fait la barbe, déjeuna», l'ordre qui régit A et B, se faire la barbe et déjeuner, est le même dans l'histoire et dans le discours. Mais, dans l'énoncé «M. déjeuna après s'être fait la barbe», l'ordre de ces deux événements est A-B dans l'histoire et B-A dans le discours. Pourtant,

---

9. Éditions du Seuil, coll. «Poétique», 1972.
10. Éditions du Seuil, coll. «Poétique», 1973. L'édition originale allemande a été publiée en 1964.
11. Tzvetan Todorov. *Qu'est-ce que le structuralisme?*, p. 128-129.

la logique narrative ne nous a apporté ici aucun secours: nul rapport de cause à effet ne régit A et B, et seule l'indication chronologique nous a permis de rétablir l'ordre de ce «récit». Il semble donc justifié de dire que ce sont et les indications chronologiques et la logique narrative qui permettent d'identifier les déformations temporelles. Cette remarque revêt une extrême importance quant à la discussion entreprise ici du travail de Genette: le modèle d'analyse proposé par ce dernier semble s'arc-bouter dans ce que Todorov lui-même appelle un «temps référentiel[12]». Employons toutefois cette dernière expression avec précautions et nuances: la technique d'analyse temporelle de *Figures III* s'enracine dans le référent en ce qu'elle se fonde soit sur la logique historique, soit sur la chronologie événementielle. Or logique et chronologie sont des êtres hybrides: s'ils s'inscrivent dans le récit, ils le transcendent du même coup; la logique existe hors du récit, et la chronologie touche directement le référent. Ces remarques ouvrent le champ de recherche sur lequel devront porter maintenant les efforts: tenter d'aller au delà de cette «temporalité référentielle» pour serrer le plus près possible ce que nous appellerons la «temporalité textuelle». Cependant, avant de définir cette dernière donnée, nous proposons l'examen d'un autre travail d'envergure sur le temps, celui d'Harald Weinrich.

L'étude de Weinrich, dans son édition originale, précède de huit ans celle de Genette, mais, en réalité, cette chronologie n'a pratiquement pas d'importance: c'est surtout leurs points de vue qui distinguent Weinrich et Genette. Genette, pour sa part, travaille au niveau des grandes structures narratives: les unités sur lesquelles il exerce son analyse peuvent parfois occuper plusieurs pages, comme c'est le cas lors de l'analyse de la durée, par exemple. Weinrich, pour sa part, se situe à un niveau beaucoup plus réduit: il nomme sa discipline «linguistique textuelle» et ses objets d'étude sont les verbes, les adverbes, etc. Genette parle de figures; Weinrich, de signaux. On trouvera, certes, des signaux macro-syntaxiques: mais ces signaux eux-mêmes sont toujours des unités linguistiques.

L'oeuvre de Weinrich, dans la succession des travaux d'Émile Benveniste, présente un grand intérêt surtout en ce qui a trait à la distinction entre le monde raconté et le monde commenté. Si, dans la foulée que nous avons prise, nous proposerons une méthodologie différente de la sienne, l'approche de Weinrich

---

12. Tzvetan Todorov. *Qu'est-ce que le structuralisme?*, p. 129.

parrainera en vérité si ce n'est la lettre du moins l'esprit des prochaines pages: ses propos sur la linguistique textuelle, au début de son étude, ne sont pas éloignés de la définition que nous donnerons, un peu plus loin, de la temporalité textuelle.

Nonobstant la valeur des travaux de Genette et de Weinrich, nous proposons une nouvelle direction aux études du temps dans le récit littéraire. Notre but est de toucher un autre aspect de la temporalité du récit littéraire, que nous avons déjà nommé «temporalité textuelle», et dont nous allons maintenant donner la définition.

«On ne peut pas descendre deux fois dans le même fleuve», affirmait Héraclite: tout ce qui est devient, selon un certain ordre, un certain rythme, une certaine durée, et ne sera plus. Que le fleuve des signes[13] qui constituent le récit littéraire se déroule lui aussi dans le temps rejoint l'évidence, mais il importe de tirer de ce truisme le plus de conséquences possible. Que signifie «se dérouler dans le temps»? Le temps, dans un tel contexte, n'est pas un réceptacle vide, a priori; il désigne plutôt les circonstances chronologiques d'apparition des signes dans le déroulement textuel. Les signes, dans le texte, n'apparaissent pas n'importe où, n'importe comment. Pourquoi n'a-t-on pas davantage réfléchi sur cette construction temporelle? Car les signes, en quelque sorte, créent le temps, *leur* temps. Contrairement au sens commun qui évoque le cadre des actions pour définir le temps, nous le définirons plutôt en fonction de la mesure, de la saisie numérique de la disposition des signes dans le récit. D'une manière générale, la mesure première du temps est le nombre du mouvement selon l'antécédent et le conséquent. L'on peut donc percevoir la liaison entre le mouvement, c'est-à-dire l'ordonnance des signes dans le récit, et le temps, comme mesure de ce mouvement des signes. Nous devons cependant préciser les types de mesures possibles.

Il semble que l'on puisse dégager deux types de signes temporels: ceux qui durent dans le temps au delà du temps même de leur apparition, et ceux qui ne durent que le temps minimal nécessaire à leur perception. On pourrait parler, dans ce premier cas, d'une temporalité non discrète, et, dans le deuxième, d'une temporalité discrète. On sait que l'on entend par unité discrète, en

---

13. Nous entendons par signe, dans une définition très large, toute unité signifiante du récit, quel que soit son niveau. Cette définition inclut tout autant le signe linguistique (adverbe de consécution temporelle, intrusion du narrateur, par exemple) que la figure (une analepse, un segment de focalisation).

linguistique par exemple, une unité qui n'admet pas la gradation. Le signe linguistique peut donc être dit discret tandis que, par exemple, les couleurs d'une carte topographique sont des unités non discrètes: telle couleur, plus ou moins foncée, indique un changement de relief. Cette distinction s'avère indispensable pour l'analyse d'une séquence typographique. Ainsi, dans la catégorie du non-discret (du temps extensible) on pourrait citer en exemple une séquence diégétique: ainsi le triptyque narratif amélioration possible/processus d'amélioration/amélioration obtenue, pris en charge par un discours, peut durer un certain temps. Deux relations temporelles sont alors pertinentes: d'ordre et de durée. La seconde catégorie, celle de la quantité discrète, peut être illustrée par les signifiants d'un personnage: le signifiant «Élisabeth», dans *Kamouraska*, ne peut avoir qu'une durée[14] invariable, et une seule relation temporelle apparaît pertinente: l'ordre d'apparition de ce signifiant dans le discours narratif. Cependant — et cette remarque ajoutera une troisième relation temporelle — les deux types de temporalité décrite plus haut, discrète et non discrète, sont susceptibles de se répéter dans le discours narratif. Une même fonction, un même signifiant, peut être réitéré à un moment ou à un autre dans le discours. Une nouvelle dimension temporelle apparaît alors: la fréquence. Selon la nature de l'objet étudié, trois relations temporelles sont donc possibles: ordre, durée et fréquence. Ces réflexions pourraient être regroupées dans le tableau suivant:

Type d'objet	Exemple	Relation temporelle
1. Temporalité non discrète	Séquence, fonction, description	Ordre, durée
2. Temporalité discrète	Signifiant d'un personnage, intrusion du narrateur	Ordre
3. Catégories 1 et 2	—	Fréquence

Les signes, donc, peuvent se disséminer dans un récit en vertu d'un ordre, d'une durée et d'une fréquence que nous désignerons désormais par «temporalité textuelle».

---

14. Comprenons par là que la durée signifie, dans un récit, le nombre de lettres, de lignes, de pages, bref une extension x que le signe prend un temps x^1 à occuper.

Appliquée au récit littéraire, cette approche donne lieu à une nouvelle saisie de la structure temporelle. Aussi étonnant que cela puisse paraître, celui qui s'est le plus approché de ce concept de «temporalité textuelle» que nous venons d'étayer est Nelly Cormeau, dans son ouvrage classique *Physiologie du roman*:

> La structure même des mots sert ici d'appui à l'idée [de la temporalisation du roman] puisque tout ce qui est «discursif» implique les notions de mouvement, de succession et de devenir. [...] Il lui faut [à la littérature] coûte que coûte, s'asservir au successif. La progression accélérée de certains thèmes impose forcément aux autres le retard. [...] Le temps seul peut fondre en choeur les chants isolés[15].

Cette réflexion pénétrante ouvrait déjà la voie à une temporalité fondée sur la linéarité du discours. Mais, influencé par l'esprit de son époque, Cormeau a quitté tout de suite après cette voie pleine de promesses en intégrant un élément d'une nature douteuse: l'âme des personnages, qui repousse le temps parmi les éléments secondaires du roman. Il s'ensuit inévitablement que «le décor et le temps sont véritablement un milieu où baignent à la fois l'action et les personnages[16]». Le temps se voit-il condamné à jamais à exister comme réceptacle, comme cadre des actions? La première citation de Cormeau n'envisageait-elle pas plutôt le temps comme un élément structurant susceptible de s'appliquer à *tous* les éléments ou signes d'un récit? Car la moindre virgule, la moindre métaphore, comme le changement de niveau de récit ou la fin d'une séquence narrative, bref tout ce qui arrive dans un récit ne peut se soustraire de son moment d'arrivée, de sa fréquence d'apparition et de sa durée en texte. Chaque récit, malgré sa participation à un modèle théorique d'existence, chaque récit affirme sa singularité, et cette «solitude incomparable» (Rousset) s'enracine dans la répartition, dans la distribution spécifique des éléments particuliers du récit.

Voilà l'approche temporelle que nous proposons. Chaque récit, ou plutôt, les signes constitutifs de chaque récit se déroulent dans le temps du texte, cette notion de «temps du texte» désignant la mesure selon l'avant et l'après des signes, ou, plus précisément, selon leur ordre, leur durée et leur fréquence.

Pourquoi ordre, durée et fréquence? Ces trois procédés de mesure désignent les relations élémentaires temporelles. L'exten-

---

15 Nelly Cormeau. *Physiologie du roman*, p. 106.

16. *Id.*, p. 114.

17. Umberto Eco. *L'Oeuvre ouverte*, p. 76.

sion des figures dans un discours suppose une étude de l'avant et de l'après, donc une étude de leur ordre, parce que «l'information contenue dans un message est déterminée par le pouvoir qu'il a de s'organiser selon un ordre particulier[17]». La durée se pose également comme norme de mesure parce que, a affirmé Cormeau, la progression d'un thème impose du retard aux autres. Enfin, la fréquence elle-même ne peut être négligée, non seulement parce que l'on connaît l'importance de la périodicité dans la perception, non seulement également parce que la complexité détermine le degré d'information d'un texte, mais aussi parce qu'il s'agit de saisir, par la fréquence, la répartition des figures d'un texte afin de «déterminer si le lot [...] se localise au hasard dans l'étendue du texte ou non [...][18]». «La fréquence d'un fait de langue ou d'une figure ne devrait jamais être séparée de la stabilité de cette fréquence, de la répartition plus ou moins régulière du fait[19].»

Le temps du récit est «une suite mélodique, une harmonie expressive à travers laquelle la *communication* n'est plus seulement narrative, mais aussi esthétique[20]». La difficulté rencontrée ici est de quitter la poétique au profit de l'oeuvre singulière: l'objet de cette première discipline étant «le discours littéraire en tant que principe d'engendrement d'une infinité de textes[21]», il s'agit alors de regagner le texte lui-même, d'en proposer une lecture. Et la lecture suggérée est celle de la distribution — ordre, durée, fréquence — des signes d'un texte-occurrence: «[...] la plupart du temps, l'auteur n'essaie pas de retrouver cette succession «naturelle» parce qu'il utilise la déformation temporelle à des fins esthétiques[22].» Cette perspective vaut depuis longtemps quant à la temporalité diégétique: mais elle s'impose désormais pour tous les niveaux d'un récit, et nous croyons l'expression de *formation* temporelle plus juste que celle de déformation temporelle. Toute oeuvre singulière dispose, selon une localisation qui ne doit rien au hasard, les signes essentiels à sa spécificité: c'est l'analyse rigoureuse de cette édification que l'étude de la temporalité textuelle convoite. La poétique classe les signes et les

18. Charles Muller. *Initiation à la statistique lexicale*, p. 43.
19. *Id.*, p. 18.
20. André Niel. «Le commentaire analytique», dans *Le Français dans le monde*, n° 75, p. 15.
21. Oswald Ducrot et Tzvetan Todorov. *Dictionnaire encyclopédique des sciences du langage*, p. 107.
22. Tzvetan Todorov. «Les catégories du récit littéraire», dans *Communications*, n° 8, p. 139.

figures selon l'alphabet des instances du récit; l'analyse de leur temporalité textuelle les rapatrie dans le texte. La temporalité n'est plus a priori, elle s'affirme désormais comme construction et création.

Plus près de nous, en écho à Cormeau, Jean Rousset avait déjà signalé cette dimension temporelle du récit, dans son «Introduction» à *Forme et signification,* introduction d'une richesse absolument inépuisable et envers laquelle nous avons une reconnaissance de dette immense:

> Le livre se développe, il se déroule, il s'écoule, il vit dans la progression, il se découvre et se révèle dans le temps; il obéit à des rythmes, à des mouvements, à des cadences; il s'assujettit à des lois qui sont celles de la présentation successive. Aussi tiendra-t-on compte, surtout dans le roman, mais également au théâtre, des relations d'antériorité ou de postériorité d'une figure ou d'une situation au regard de celles qui l'entourent, des mouvements d'apparition ou de fuite d'un motif, de l'étirement ou de l'accumulation des données, des préparations qui annoncent et des retours qui évoquent, des emplois possibles de la mémoire ou de l'attente du lecteur, et bien entendu des effets de vitesse, de temps[23].

Or aucun travail de méthodologie ou d'analyse n'a été accompli en ce sens. Certes quelques études se penchent sur la distribution d'un phénomène particulier dans un discours narratif; mais aucune, semble-t-il, n'étudie de manière systématique la distribution temporelle des signes.

Ces propos libèrent enfin une définition précise de ce que signifiera «temporalité textuelle» dorénavant:

La temporalité textuelle d'un récit-occurence désignera la distribution dans son discours, selon l'ordre, la durée et la fréquence, de ses signes qu'aura décelés au préalable l'analyse dudit récit[24].

Nous disons: «les signes qu'aura décelés au préalable l'analyse dudit récit.» Comprenons par là que l'analyse de la temporalité

---

23. Jean Rousset. *Forme et signification,* p. XIII.
24. Le lecteur peu familier avec Gérard Genette mais au courant de sa terminologie croira peut-être que nous marchons sur les pieds du poéticien avec les relations de mesure ordre, durée, fréquence. En réalité, notre approche est tout autre. Chez Genette, ordre, durée et fréquence désignent les types de rapports temporels qui peuvent régir la chronologie des événements dans leur rapport histoire-discours. Ici, rien de tel: la temporalité ne résulte pas d'une mise en relation entre deux catégories du récit, mais de l'application d'une mesure à une catégorie de signes ou de figures, ce qui, à la limite, peut nous entraîner à étudier l'ordre, la durée et la fréquence... des analepses!

textuelle est seconde par rapport à l'analyse des signes du récit. La mise à jour des signes peut être très simple si l'on s'en tient, par exemple, à des unités linguistiques, données sans l'intermédiaire d'un modèle. Mais l'établissement de signes macroscopiques, une séquence par exemple, réclame l'intermédiaire d'un modèle (celui de Bremond en l'occurrence): ce n'est qu'après qu'entre en jeu la temporalité textuelle. Cette flexibilité nous apparaît susceptible d'investissements intéressants pour l'analyse du récit, parce que l'analyse de la temporalité textuelle permet d'établir la cohérence ou la configuration des signes, quels qu'ils soient.

En signalant ce terme de l'analyse, nous venons du même coup d'ouvrir une nouvelle réflexion sur l'espace. En effet, la structuration des signes crée, dans le texte, des formes, des réseaux qui, selon nous, établissent des espaces se distinguant, s'opposant même les uns aux autres. Nous croyons que ces espaces balisent le sens, agissent comme garde-fous, en quelque sorte. Aussi les appellerons-nous espaces informatifs. Cet espace, on le pressent, est analogue à la notion de temps que nous avons établie: il n'est pas un a priori, puisqu'il résulte des zones créées par le temps, et il est signifiant ou, à tout le moins, il détermine les frontières de sens et de transformation de sens d'un récit. La prochaine section se propose d'examiner ces dernières hypothèses.

L'espace

Les travaux sur l'espace dans le récit littéraire commencent presque toujours par dire que la critique s'est montrée singulièrement myope face à cette catégorie. L'espace est, le plus souvent, entaché du mimétisme que nous a légué Aristote; plus rarement, il est perçu, non comme un cadre géographique du récit, mais plutôt comme un élément de structuration. Claude-Gilbert Dubois a naguère tenté un effort dans cette direction[25], et Iouri Lotman tient à ce sujet des propos qui ont, dans le cadre de discussion qui nous intéresse présentement, une valeur propédeutique: «Le modèle spatial du monde devient dans [les] textes un élément organisateur, autour duquel se construisent aussi des caractéristiques non spatiales[26].» Tirons toutes les conséquences de cette affirmation: le modèle spatial n'a donc rien à voir, de manière exclusive, avec les lieux, la topographie ou la géométrie.

---

25. Claude-Gilbert Dubois. «Éléments pour une géométrie des non-lieux», dans *Romantisme*, n° 1-2, 1971, p. 187-199.
26. I. Lotman. *Op. cit.*, p. 313.

Cette prise de position nous entraîne à parler plutôt d'un espace textuel, c'est-à-dire d'une géométrie des signes du texte en zones, en territoires délimités, finis, étant donné que la temporalité textuelle aura permis de faire voir des réseaux de complexité.

Nous voici rendus devant le lien entre le temps et l'espace: la complexité. L'étude de l'ordre, de la durée et de la fréquence des signes permet de mettre à jour certains groupements de signes dans le récit et, de là, de constituer des espaces que nous avons qualifiés d'informatifs. Cette liaison entre temps et espace appelle une réflexion sur la linéarité du récit.

Comment la structuration temporelle des signes d'un récit peut-elle conduire à la création d'espaces textuels? Saussure a jadis jeté les fondements de cette jonction avec ses propos sur la linéarité du signifiant: «Le signifiant, étant de nature auditive, se déroule dans le temps seul et a les caractères qu'il emprunte au temps: a. *il représente une étendue*, et b. *cette étendue est mesurable dans une seule dimension*: c'est une ligne[27].» Le récit littéraire, comme art linéaire, obéit à ces mêmes caractères. Poursuivant sur ce rapport entre le temps et l'étendue, Saussure fait remarquer que «le signe acoustique ne peut offrir de complications que dans l'espace, qui seront figurables dans une ligne[28]». Cette imposition des catégories spatio-temporelles déborde le seul domaine du signe acoustique: «les messages eux-mêmes peuvent être de nature spatiale ou temporelle[29].» Quant à nous, nous affirmons que le système de communication qui nous intéresse, le récit littéraire, est de nature spatiale *et* temporelle: de la structuration temporelle des signes découle un ou des espaces textuels. Voilà pourquoi nous pouvons parler de l'espace-temps du récit. Et nous ajoutons que cet ou ces espace(s)-temps désigne(nt) les lieux d'information du texte: aussi pouvons-nous parler d'espace-temps de la signification. Que l'espace-temps soit le lieu de la signification n'est pas sans fondement: il tient à la méthode d'analyse temporelle que nous nous sommes donnée, une méthode fondée sur la mesure de la complexité des signes, c'est-à-dire la théorie de l'information, fondement de la valeur signifiante ou informative de l'espace-temps.

---

27. Ferdinand de Saussure. *Cours de linguistique générale*, p. 103.
28. *Id.*, p. 447.
29. A. Moles. *Théorie de l'information et perception esthétique*, p. 18.

Conclusion: une sémiotique syntaxique structurale

Si le lecteur a bien voulu nous suivre jusqu'ici — et nous lui en savons gré! — il aura compris que:

1. en nous interrogeant sur le récit littéraire comme système de communication, nous avons établi que l'information particulière qu'il véhicule se situe sur le plan de son discours, non pas au niveau de la surface linguistique de ce dernier, bien sûr, mais plutôt sur le plan de la complexité de l'arrangement des signes qui le constituent;

2. cette prise de position permet la mise à contribution de la théorie de l'information qui, en postulant que l'information est proportionnelle à la complexité des signes, réclame l'intermédiaire d'un instrument de mesure de cette complexité;

3. la temporalité nous a semblé désigner cet instrument de mesure, ce qui nous a entraîné vers une nouvelle conception, la temporalité textuelle, constituée par trois procédés de mesure, ordre, durée et fréquence, lesquels, appliqués aux signes, permettent de dégager des zones de complexité;

4. ces zones de complexité créent des espaces dont le caractère informatif va de soi puisqu'il est fondé sur la théorie de l'information.

Nous pouvons alors parler d'une sémiotique syntaxique structurale du discours narratif. La nature sémiotique de notre approche est évidente; notre objectif a réclamé des fondements et une méthodologie dont l'intention avouée est d'établir l'information que véhicule un récit au moyen d'un système de mesure de l'information. Une sémiotique syntaxique? L'analyse sémiotique, surtout chez les Américains, a dégagé trois niveaux nécessaires dans le processus sémiotique: ce qui agit comme signe, ce à quoi le signe réfère et ses effets sur le décodeur. L'analyse doit conséquemment distinguer trois paliers de travail: syntaxique (étude des relations entre les signes eux-mêmes), sémantique (étude des relations entre les signes et ce qu'ils désignent) et pragmatique (étude des relations entre les signes et l'effet produit). La sémiotique que nous avons proposée s'est confinée au plan syntaxique, puisque nous avons tenté de faire apparaître l'information produite par l'agencement, la combinatoire même des signes. Et pourquoi pas une sémiotique structurale? Rappelons les propos simples mais toujours vrais de Roland Barthes sur le fondement même de l'analyse structurale:

> Une phrase, on le sait, peut être décrite, linguistiquement, à plusieurs niveaux (phonétique, phonologique, grammatical, contextuel); ces

niveaux sont dans un rapport hiérarchique, car, si chacun a ses propres corrélations, obligeant pour chacun d'eux à une description indépendante, aucun niveau ne peut à lui seul produire du sens: toute unité qui appartient à un certain niveau ne prend de sens que si elle peut s'intégrer dans un niveau supérieur [...]. La théorie des niveaux (telle que l'a énoncée Benveniste) fournit deux types de relations: distributionnelles (si les relations sont situées sur un même niveau), intégratives (si elles sont saisies d'un niveau à l'autre). Il s'ensuit que les relations distributionnelles ne suffisent pas à rendre compte du sens. Pour mener une analyse structurale, il faut d'abord distinguer plusieurs instances de description et placer ces instances dans une perspective hiérarchique (intégratoire)[30].

Bien sûr, dans l'analyse littéraire, le mot «intégration» n'a pas le même sens qu'en linguistique: si, dans cette dernière science, une concaténation de phonèmes produit un monème au niveau supérieur, il n'en va pas ainsi dans le récit littéraire où une unité peut appartenir à plusieurs catégories différentes. Mais la méthode reste la même: dégager des étagements dans le récit, soumettre les signes de chacun de ceux-ci à l'analyse de leur temporalité textuelle et, de là, créer des espaces sémantiques qui, superposés, créeront des zones de coïncidences. Chaque niveau offrira ainsi des espaces e^1, e^2, e^x [...] qui, lorsqu'on les intégrera, produiront des espaces E^1, E^2, E^x [...].

Enfin, et c'est en vérité le terme même de notre réflexion, nous soutenons que toute projection d'un modèle sur le récit, quel que soit ce modèle, sociologique, psychanalytique ou autre, doit tenir compte de la constitution de ces espaces E^1, E^2, E^x [...]. Ces espaces, fondés sur la complexité (temporelle) de leurs signes, s'opposent les uns aux autres parce que justement la temporalité a fait apparaître des zones de complexité (donc d'information) différente, et désignent les lieux de transformation du sens ou de la signification. Notre objectif, établir les frontières du sens, nous ramène, paradoxalement d'ailleurs, à une notion d'espace vide, mais qui n'a plus rien d'un a priori.

---

30. Roland Barthes. «Introduction à l'analyse structurale des récits», dans *Communications*, n° 8, p. 5.

DEUXIÈME PARTIE

ÉTUDE DE TROIS OEUVRES

Dans cette deuxième partie, nous nous proposons d'étudier trois romans québécois qui présentent, compte tenu de la série culturelle desquels ils relèvent, trois formes exemplaires. Le premier, *L'Appel de la race* de Lionel Groulx (1922), est considéré comme un roman à thèse et, bien qu'il s'en distingue sur le plan du contenu, il se rattache au didactisme des romans du XIXe siècle et du début du XXe. Le deuxième ouvrage que nous allons examiner, *Poussière sur la ville* (André Langevin, 1953), s'inscrit dans la foulée des romans «cas de conscience» du milieu du siècle et, à ce titre, révélera à l'analyse une forme qui se distinguera du roman précédent. Pour terminer, nous allons nous pencher sur un court récit que d'aucuns ont appelé un «roman-poème», c'est-à-dire une nouvelle forme littéraire apparue après 1960: *Quelqu'un pour m'écouter*, de Réal Benoit (1964).

Nous avons l'intention, à l'occasion de cette deuxième partie, de mettre à contribution les propositions d'analyse que l'on vient de lire; à cet effet, nous respecterons, pour chacun des trois romans qui viennent d'être mentionnés, la même démarche d'étude:

1. nous déterminerons les *unités* sur lesquelles s'appliquera la mesure de l'information;
2. nous appliquerons le concept de temporalité textuelle aux unités établies en 1., c'est-à-dire que nous mesurerons leur ordre, leur durée et leur fréquence;
3. l'exercice de ce procédé de mesure nous conduira à établir, pour chacune des unités, des espaces signifiants qui, superposés, donneront la forme globale du récit.

Afin de conférer à ces analyses une homogénéité qui rende possible la comparaison entre les oeuvres, il nous semble nécessaire d'établir dès maintenant la nature de ces unités qui serviront d'objet à la temporalité textuelle.

Pour les trois récits, nous présenterons d'abord un découpage en séquences élémentaires, avec l'aide du modèle de Claude Bremond. Ces séquences constitueront les premières unités qui seront soumises à la mesure. Puis, en nous servant du «modèle»

que Gérard Genette a présenté dans *Figures III* (que nous suppo-
serons connu du lecteur), nous puiserons deux autres unités à
l'intérieur des trois catégories du discours du récit: temps, mode
et voix. Pourquoi deux unités seulement? La raison est d'ordre
pragmatique: il est assez rare que dans un même récit ces trois
niveaux présentent des unités également pertinentes, si bien que
nous évacuerons le niveau le moins révélateur des trois.

Ainsi, nous établirons des formes e^1, e^2, et e^3 que nous super-
poserons pour accéder à la forme E du texte. Pour guider la
lecture, voici les unités que nous allons étudier pour chacun des
trois romans:

L'Appel de la race:
  1. Le découpage;
  2. le mode: la distance;
  3. la voix: les commentaires du narrateur.

Poussière sur la ville:
  1. Le découpage;
  2. le temps: les analepses et les prolepses;
  3. le mode: le monologue intérieur.

Quelqu'un pour m'écouter:
  1. Le découpage;
  2. le temps: les analepses;
  3. la voix: les points de suspension.

L'établissement des trois formes E nous conduira, en conclusion finale, à réfléchir sur l'aspect protéiforme d'une même littérature.

CHAPITRE I

L'Appel de la race de Lionel Groulx: la forme du roman didactique

Enraciné dans l'Histoire, c'est-à-dire dans la crise scolaire ontarienne des années 1914-1915, L'Appel de la race[1], signale Olivar Asselin, «est avant tout un écrit de propagande»: mêlées presque inextricablement, les questions historiques, politiques, sociales se nouent avec plus ou moins de bonheur dans le récit de l'abbé Groulx. N'allons pas croire que ce «pluralisme littéraire» a échappé à l'auteur:

> Les cénacles ne manquent point, non plus où l'on se moque abondamment de la littérature nationale, forme inférieure de l'art! Moues d'enfants qui voudraient renoncer au langage parce qu'ils n'ont encore entendu que leurs balbutiements! Moqueries de déracinés où se révèlent beaucoup moins un désir de liberté que le mépris profond de la nature de leur pays, du passé et de l'âme de leur race, mépris qui n'a d'autre fondement ou d'autre excuse que l'ignorance.
> [...]
> Et l'on cessera aussi de s'imaginer toutes sortes d'antinomies irréductibles entre art national et art humain, comme si la première condition de l'art n'était point de s'appuyer sur le tuf d'un pays ou d'une race[2].

L'attitude de Groulx, en dépit de la conviction que son texte véhicule, éveille une certaine méfiance, une circonspection justifiée: on craint un art monolithique, pour ne pas dire monothéiste, quel que soit le dieu qu'il vénère. Le roman à thèse offre une proie intéressante au critique en mal de démolitions: nous tenterons cependant de ne pas succomber à un jugement de valeur sur

---

1. Lionel Groulx. L'Appel de la race, Montréal, Fides, 5e éd., 1970, p. 95-252. - Introduction de Bruno Lafleur, p. 9-93. (Toutes les références ultérieures à ce roman, désignées par AR, renverront à cette édition.)
2. Lionel Groulx. L'Enseignement du français au Canada, t. II, p. 258.

l'oeuvre, pour orienter l'effort plutôt du côté d'une mise en évidence de la structure, de la forme d'un roman à thèse. Ou mieux, nous essaierons de voir non pas la forme d'un roman à thèse, position qui cache mal un a priori, mais de quelle façon la forme de *L'Appel de la race* témoigne d'un roman à thèse: la forme révélera le «genre», et non l'inverse... Comme nous l'avons signalé dans l'introduction qui précède ce chapitre, les niveaux sur lesquels se fondera cette forme seront le découpage, le mode et la voix.

1.00 Le découpage.
1.10 Les unités du découpage: les séquences.

Notre première saisie du roman se fera par le biais du découpage. L'expérience nous a appris cependant que cette entreprise doit suivre l'établissement de la chronologie interne de l'histoire, que nous donnons à l'annexe 1. On pourra ensuite consulter le découpage que nous proposons à l'annexe 2. Comment s'est fait ce découpage? Nous nous sommes servi du modèle de Claude Bremond[3], et nous nous sommes limité à établir les séquences élémentaires qui, ici, ont toutes été faites du point de vue de Jules. Le récit, divisé en quatorze séquences, converge vers ce personnage, véritable force centripète: que ce soit le complot Maud-Duffin (p. 182 sq.), que ce soient les discussions entre les enfants, tous les événements s'orientent vers Jules et sont réductibles à la perspective de ce dernier.

Maintenant que les unités d'analyse ont été établies, nous allons soumettre celles-ci à l'étude de leur temporalité textuelle, c'est-à-dire de leur ordre, de leur durée et de leur fréquence. Nous pourrons ainsi établir — rappelons-le — des zones de complexité qui signaleront les espaces signifiants de la forme des séquences.

1.20 La temporalité textuelle des séquences.

Un examen de *l'ordre* des séquences conduit à cette constatation: l'action, du point de vue de Jules toujours, se limite à trois projets: francisation de soi et de sa famille, être député et prendre

---

3. Claude Bremond a exposé cette approche dans «La logique des possibles narratifs», entre autres (cf. bibliographie). L'on sait que, pour couper court, le récit, sur le plan de l'histoire, s'organise en séquences dites élémentaires, composées de trois fonctions, d'ouverture, de processus et de fermeture. Ce modèle à la prétention «universelle» a fait l'objet de plusieurs remises en question, et ici, nous l'adoptons pour la valeur opératoire qu'il présente afin d'isoler les séquences constituant l'histoire.

la parole le 11 mai. Nous pouvons donc regrouper les séquences en trois blocs:
a. entreprises de francisation: séquences 1-5;
b. députation: séquences 6-9;
c. débat du 11 mai: séquences 10-14.

Le roman s'équilibre ainsi en trois parties d'importance égale quant au nombre de séquences pour chacune.

L'observation de chacun de ces trois volets fait surgir une constatation étonnante: dans chaque cas, la ou les dernières séquences ne font pas avancer l'action. La séquence terminale 5, par exemple, permet à Jules et à Maud de faire le point et de fouiller leurs divergences: «vous regrettez votre mariage et notre bonheur est fini...» (*AR*, 129), constate Maud. Le doute qui assaille le héros quant au bien-fondé de sa mission clôt ce premier volet. La séquence 9, à son tour, ne permet pas une poursuite de la diégèse et donne lieu à une livraison du journal de Jules suivi d'une discussion où Jules est passif, discussion qui n'avance en rien l'action de cette deuxième partie et qui se donne pour fonction de nous livrer, cette fois-ci, les désaccords idéologiques des enfants de Jules. Finalement, le troisième bloc de séquences se termine en réalité à la séquence 12 quant à la diégèse première, le débat oratoire, et les séquences 13 et 14, à nouveau, établissent une sorte de répartition des personnages: Maud part, Virginia entre au couvent et William épouse l'idéologie paternelle.

Chaque partie du récit fonctionne en quelque sorte selon le même clivage:

$$\text{Action} \longrightarrow \text{Arrêt.}$$

Nous avons mis à jour, donc, une première structure de *L'Appel de la race*, en établissant trois espaces textuels qui constituent une première approche de la forme des séquences:

Tableau I: La forme F^1 de *AR* (découpage)

I	II	III
séquences 1-5	*séquences 6-9*	*séquences 10-14*
action →arrêt	action →arrêt	action →arrêt

Quels renseignements tirer de cette configuration? Nous répondrons à ces questions quand nous serons en présence de la forme totale de *L'Appel de la race*: la lecture des formes sera d'autant plus intéressante qu'elle sera globale.

De la *durée* des séquences nous pouvons tirer deux conclusions paradoxales: la durée de chacune des trois parties s'allonge, mais la durée des séquences consacrées à l'objet narratif de chacune de ces trois mêmes parties accuse une baisse.

La durée de chacune des trois parties s'allonge. En effet, quoique le nombre de séquences soit sensiblement le même d'une partie à l'autre (5, 4, 5), leur durée subit une extension considérable: la partie I couvre 36 pages, la partie II, 42, la partie III, 78. Mais cela n'a que peu de valeur en soi: c'est en confrontant cette extension de la durée des parties à la durée consacrée à chacun de leur objet narratif que des résultats apparaîtront.

Nous entendons, par objet narratif, le contenu diégétique. Les trois objets narratifs de chacune des parties ont d'ailleurs déjà été établis:
Partie I: entreprises de francisation;
Partie II: députation;
Partie III: prendre la parole le 11 mai.

Nous obtenons des résultats paradoxaux quand nous examinons la durée des séquences conférée à chacun de ces objets narratifs premiers:
Partie I: entreprises de francisation, 18 pages sur 36;
Partie II: députation, 3 pages sur 42;
Partie III: débat du 11 mai, 3 pages sur 78.

Les résultats s'entrechoquent: pendant que la durée de chaque séquence s'accroît, la durée consacrée à l'objet narratif premier, toutes proportions gardées, accuse une baisse.

Tableau II: La forme F^2 de *AR* (découpage)

	I	II	III
1. *Durée des parties*	36 pages	42 pages	78 pages
2. *Durée de l'objet narratif premier*	18 p. sur 36	3 p. sur 42	3 p. sur 78
Donc: baisse de l'importance accordée à l'objet narratif de chaque partie.			

Si le récit tend à consacrer moins de durée à ses objets narratifs, n'est-ce pas pour mettre autre chose en relief? Déjà nous avons remarqué un mouvement, à chacune des trois parties, «action-arrêt»; plus encore, nous signalons maintenant une perte en importance du contenu narratif ou diégétique. Et pourtant, si l'histoire elle-même s'amenuise avec le déroulement du récit, il doit bien y avoir une autre raison qui justifie l'existence du discours et qui comble l'anémie de sa diégèse: la conjugaison de tous les niveaux d'analyse apportera une réponse à ces questions.

Nous allierons, pour en finir avec ce qui a trait aux séquences, leur *fréquence* à leur durée. Le récit compte trois parties de 36, 42 et 78 pages; ces parties comportent cinq, quatre puis cinq séquences. La stabilité de leur fréquence détonne cette fois avec l'accroissement de la durée de chacune des parties:

Tableau III: La forme F^3 de AR (découpage)

Parties	I		II	III			
Pages	97	125	150	175	200	225	250
Séquences	1 2	3 4 5	6 7 8 9	10 11	12	13	14

Avec la progression du récit, les séquences se présentent en groupements moins denses, plus lâches, plus distendus. La fréquence contribue à cet arrêt ou, d'une manière moins radicale, à ce ralentissement de l'action. On nous dira qu'en revanche cette fréquence plus faible des séquences manifeste peut-être un accroissement de leur mimétisme: l'action sera plus fouillée, plus détaillée, mais non moins présente... La réponse reviendra à l'étude du mode: quel mouvement, quel taux d'information narrative le récit livre-t-il alors que sur le plan des séquences il tend à se disloquer? Cependant, respectons le plan que nous avons posé dans l'introduction, et penchons-nous maintenant sur le mode.

2.00 Le mode.
2.10 Les unités du mode.

On peut raconter plus ou moins; cette distance qui «sépare» celui qui raconte de son texte peut être graduée en degrés de mimésis ou de diégésis, ce qui revient au même, le premier étant l'inverse du second: plus un récit est mimétique, moins il est diégétique. Genette a d'ailleurs explicité ce point assez clairement pour nous épargner des redites, et nous nous limiterons à schématiser ses propos.

Dans *L'Appel de la race*, notre but est de prendre le pouls des différentes variations modales de la mimésis/diégésis, d'en repérer, donc, les fluctuations de distance. Pour ce, nous suivrons le déroulement du récit tel que nous l'avons découpé, en séquences, à l'annexe 2.

Quels seront les critères dont nous nous servirons pour affirmer que telle séquence manifeste une grande distance (diégésis), telle autre une distance moindre (mimésis)? Deux critères: les récits de paroles/récits d'événements, et la durée.

Les récits de paroles/récits d'événements permettent sans ambages de situer la portion de texte analysée selon sa distance: le récit d'événements est plus distant que le récit de paroles et, à l'intérieur du récit de paroles lui-même, le discours narrativisé, transposé et rapporté, manifeste dans l'ordre une réduction de la distance. On retrouve ces variations dans le schéma suivant:

		durée	moins
1. récit d'événements	discours narrativisé	longue	mimétique
2. récit de paroles	discours direct	durée courte	plus mimétique

Mais si la séquence de texte ne présente qu'un récit d'événements, ne pourrons-nous pas en évaluer la distance?

Entre alors en jeu une norme que Genette a aussi esquissée: $I = \dfrac{1}{d}$. Plus la séquence couvre une durée d dont l'amplitude est grande, moins elle véhicule d'information I (moins elle tend à la mimésis, plus la distance est grande).

Prenons par exemple la première fonction de la séquence initiale de l'annexe 1: l'histoire qu'elle nous livre couvre quarante-quatre années, ce qui est d'ailleurs énorme, compte tenu des rythmes de durée que nous avons établis précédemment. Sans hésitation, cette fonction, très distante, sera qualifiée de «diégésis». Cette procédure nous a servi pour évaluer la distance dans *L'Appel de la race* (annexe 3).

2.20 La temporalité textuelle des unités du mode.

Puisque nous avons suivi le déroulement du récit en séquences et en fonctions, nous nous servirons également d'une conclusion importante du découpage: la division tripartite.

L'examen de *l'ordre* des figures de la durée suivra donc les trois parties de *L'Appel de la race*:

a. *Projets de francisation* (séquences 1-5): nous remarquons dans ce cas un passage assez net de la diégésis à la mimésis. Comment cette remarque se soude-t-elle aux précédentes? Exhumons les conclusions provisoires que nous avons relevées jusqu'à présent pour le bloc des séquences 1-5:

— découpage: action ⟶ arrêt
— mode: diégésis ⟶ mimésis

Comment raccorder cette superposition action + diégésis ⟶arrêt + mimésis? La réponse se trouve dans l'examen du contenu de ces séquences mimétiques. En effet, ce que nous constatons alors, c'est que la mimésis, à la fin de la séquence 4 et en entier dans la séquence 5, n'est autre chose qu'une mimésis du verbe: interrogations de Jules et Maud et enfin journal de Jules, tous du discours rapporté, enfoncent le récit dans un verbalisme terminal (quant au bloc de séquences 1-5) qui confère à l'action non pas une dimension de durée, mais d'arrêt et de profondeur.

b. *Candidature* (séquences 6-9): cette deuxième tranche suit un mouvement mimésis ⟶ diégésis ⟶ mimésis. La superposition se fait aisément:

— découpage: action ⟶ arrêt
— mode: mimésis ⟶ diégésis ⟶ mimésis

Même paradoxe que préalablement: comment superposer mimésis à arrêt? Même réponse, aussi étonnant que cela puisse paraître: la mimésis finale est à nouveau une mimésis du verbe, le bloc 5-9 se terminant par un journal et une lettre. Une autre remarque importante enfin: l'objet narratif, la candidature de Jules, si privilégiée devrait-elle être, se voit racontée à la séquence 8 par le biais de la diégésis. Nous avons déjà manifesté un certain étonnement devant le peu d'importance, sur le plan des séquences, consacré au contenu narratif final: notre étonnement se trouve accru par cette nouvelle constatation: le mode même tend à reléguer vers «l'arrière-plan» l'objet narratif du bloc II en le narrant de la façon la plus distante possible...

c. *Le débat du 11 mai* (séquences 10-14) suit le même rythme mimésis ⟶ diégésis ⟶ mimésis. Ainsi:

— découpage: action ⟶ arrêt
— mode: mimésis ⟶ diégésis ⟶ mimésis

À nouveau, la mimésis finale est une mimésis du verbe: télégramme de Wolfred et discussion. Mais, ultime paradoxe, l'objet narratif de ce troisième bloc, la prise de parole le 11 mai, est traité par le biais de la diégésis: non seulement l'importance de l'objet narratif de cette troisième partie est-elle amputée par la distance, mais au surplus, en sa qualité de verbal, cet objet narratif subit un traitement non verbal, donc diégétique...

Les résultats obtenus par le biais de l'ordre recoupent un réseau du récit de plus en plus familier qui trouvera, en dernier lieu, un investissement particulier quant au genre littéraire de *L'Appel de la race*.

Comment étudier la *durée* du mode? Nous examinerons combien de pages, dans chacune des trois parties du roman, sont livrées selon l'une ou l'autre des deux modalités de distance.

Tableau IV: La fréquence du mode dans *A R*

	Partie I	*Partie II*	*Partie III*
Diégésis	17	7	5
Mimésis	24	34	64

La durée consacrée, pour chacune des trois parties du roman, aux deux variations modales, renchérit sur ce qui a été dit jusqu'à présent, c'est-à-dire un mouvement

+ diégésis ——————→ – diégésis
– mimésis ——————→ + mimésis

Et souvenons-nous, pour saisir les choses dans leur juste perspective, que cet accroissement de la mimésis désigne un accroissement de la mimésis du verbe, prolifération, donc, du récit de paroles.

La *fréquence*, enfin, consistant à étudier cette fois le nombre de fonctions mimétiques/diégétiques, conduit au tableau suivant:

Tableau V: La fréquence du mode dans AR

	Partie I	Partie II	Partie III
Diégésis	9	5	4
Mimésis	6	7	9

Même constatation donc, c'est-à-dire un accroissement de la mimésis et une baisse de la diégésis. Quel que soit le biais par lequel on le saisisse, *L'Appel de la race* manifeste sans cesse le même changement de mode.

3.00 La voix.
3.10 Les unités de la voix: le commentaire.

Nous entendons ici par commentaire toute intrusion de la part du narrateur dans son discours, par l'emploi de verbes au présent, au passé composé ou au futur[4]. Nous excluons ainsi le discours direct; nous rejetons également toute métaphore, tout adverbe ou adjectif évaluatif, qui sont aussi, par certains égards, des commentaires. Pourquoi ne retenir que le temps des verbes? Nous croyons que les temps des verbes, présent, passé composé et futur, sont propres à démentir le projet historique du narrateur[5]. En effet, ce projet se trouve linguistiquement mis en cause, par la simultanéité feinte de l'acte narratif et de la diégèse: une telle subjectivité dans le récit entache l'histoire qui devrait se dérouler hors de la personne du narrateur.

Quelquefois, un verbe apparaît seul, quelquefois une constellation de verbes commentatifs envahit le texte: notre énumération respecte ces groupements, et nous la présentons à l'annexe 4.

La lecture de cette énumération sera peut-être apparue fastidieuse, mais ce mal nécessaire aura permis de constater l'abondance des verbes commentatifs disséminés dans *L'Appel de la race*. Pour mieux saisir leur fonction dans le système textuel, abordons cet inventaire de manière plus systématique.

Différents types de commentaires doivent d'abord être distingués: certains verbes, tels «ajoutons» (AR, 96), «Nous n'avons pas à décrire» (AR, 172), nous renvoient directement à l'instance racontante et, dans tous les cas, à une fonction du narrateur. C'est

---

4. Nous renvoyons aux travaux de Benveniste et de Weinrich sur le sujet.
5. À moins, évidemment, que cela ne soit érigé en conduite généralisée, comme c'est le cas pour *Les Engagés du Grand Portage*, de Léo-Paul Desrosiers.

ce rapport entre commentaire et fonction du narrateur que nous allons maintenant préciser.

Émile Benveniste faisait apparaître, il y a déjà une vingtaine d'années, les deux plans d'énonciation en français, l'histoire et le discours. *L'histoire* désignait, selon ce linguiste, un énoncé dont les marques (linguistiques) du sujet d'énonciation étaient absentes; le *discours*, pour sa part, signifiait «toute énonciation supposant un locuteur et un auditeur et chez le premier l'intention d'influencer l'autre en quelque manière[6]». Ainsi toute *intrusion* du narrateur nous renvoie-t-elle au discours et un récit parfaitement «historique» est-il inexistant: le narrateur, véritable bouchon de liège, tend toujours à remonter en surface. Mais il ne réussit le plus souvent qu'à faire des bulles:

> La moindre observation générale, le moindre adjectif un peu plus que descriptif, la plus discrète comparaison, le plus modeste «peut-être», la plus inoffensive des articulations logiques introduisent dans sa trame [celle du récit] un type de parole qui lui est étranger, et comme réfractaire[7].

Harald Weinrich n'a guère approfondi les réflexions mêmes de Benveniste en nommant *monde commenté* et *monde raconté* ce que nous connaissions par *discours* et *histoire*, et en ajoutant que ces signaux de l'un ou l'autre registre signalent une «attitude de locution[8]».

Nous souscrivons davantage aux propos, sur ce même sujet, de Marie et de Louis Francoeur, qui poussent plus loin les catégories et, surtout, le classement établi par Benveniste. Pour eux, la forme du langage d'un récit est régie par trois types de signaux: signaux grammaticaux, qui créent le cadre de la situation narrative; signaux de métacommunication, phatiques et conatifs; et, enfin, signaux textuels récurrents, micro-syntaxiques et macro-syntaxiques[9].

La pertinence de ces réflexions sur la subjectivité dans le langage, c'est-à-dire sur la présence du narrateur dans le discours narratif, n'est plus à démontrer en ce qui a trait à l'étude de la voix dans le récit. Et l'opportunité de ces catégories ne nous semble pas épuisée, bien au contraire: il nous apparaît que cette

6. Émile Benveniste. *Problèmes de linguistique générale I*, p. 242.
7. Gérard Genette. «Frontières du récit», dans *Communications*, n° 8, p. 162.
8. Harald Weinrich. *Le Temps*, Paris, Seuil, coll. «Poétique», 1973.
9. Marie et Louis Francoeur. «Deux contes nord-américains considérés comme actes de langage narratifs», *Études littéraires*, vol 8, n° 1, p. 57 sq.

approche, par sa nature sémiotique, faisant ainsi appel au système élémentaire narrateur-discours narratif-narrataire, peut s'enraciner plus profondément dans toutes les parties d'un récit littéraire. À cet effet, nous grefferons la subjectivité du langage ou, ce qui revient au même, l'attitude de locution, à un modèle dont la postérité a été éclatante: le schéma de la communication, de Jakobson.

C'est avec hésitation, voire avec crainte, que nous mettrons à contribution le modèle de cet autre linguiste: son schéma, outre qu'il souffre d'une déflation incroyable, a été utilisé à toutes les fins, parfois heureuses, souvent douteuses. Quoi qu'il en soit, le schéma est suffisamment connu pour que nous esquivions la démarche entière de Jakobson. Rappelons donc simplement que le langage, qui met en oeuvre six facteurs, peut s'orienter, se tourner vers l'un ou l'autre des facteurs, engendrant alors une fonction:

Message = *Poétique*

Destinateur = Référent = *Référentielle* Destinataire =

Émotive Canal = *Phatique* *Conative*

Code = *Métalinguistique*

Le schéma a mérité un investissement particulièrement fertile dans l'étude de la poésie, plus particulièrement en ce qui a trait à la fonction poétique. Mais, dans le récit, qu'en est-il? À quels signes, et à quels niveaux reconnaître une fonction?

Nous croyons que de la conjonction des affirmations de Benveniste et de Jakobson peut jaillir une saisie opératoire des signes de subjectivité du langage pour des fins d'étude du récit. Nous postulerons, à cet égard, que tout signe de subjectivité, en tant que manifestation du discours, peut être orienté vers l'un ou l'autre des six facteurs constitutifs d'une situation de communication, donnant alors naissance à la fonction appropriée. Nous ne parlerons donc pas, ici, des fonctions du langage, mais bien des fonctions du discours ou, encore, des *fonctions du narrateur*. Gérard Genette a déjà parlé de «fonctions du narrateur», mais plus ou moins reliées aux fonctions du langage; cette liaison, nous tenterons de la resserrer au moyen des marques de subjectivité. En d'autres mots nous affirmons que, si un discours narratif est discours pour autant qu'il est proféré par quelqu'un, cette portion subjective du langage, identifiable en texte, peut à son tour être orientée vers le narrateur, le code, le message, etc. Nous cherchons ainsi non seulement à faire apparaître les marques de discours, mais à leur donner un *sens*, une sorte d'orientation dans l'économie du récit. Cette saisie des signes de subjectivité, orientant ceux-ci vers une fonction, est d'emblée sémiotique, puisque tout le processus de communication se trouve alors en jeu. De plus, elle permet de lever une ambiguïté à laquelle l'étude de ces marques s'est souvent heurtée. Comment expliquer, en effet, qu'une même marque puisse remplir des fonctions différentes? Une interrogation, par exemple, peut autant être orientée vers le code («Que dis-je?»), vers l'histoire («Que fera-t-il?») que vers le narrataire («Qu'en pensez-vous?»). C'est dans sa fonction qu'une marque prendra, si l'on peut dire, sa couleur locale. Enfin, la fonction d'une intrusion agira en quelque sorte comme un super-signe, englobant plusieurs marques comme, par exemple, un pronom, un verbe au présent, etc.

Nous avons relevé, dans *L'Appel de la race*, vingt et une apparitions d'exemplaires uniques ou de verbes commentatifs et, en sept occasions (1, 7, 8, 9, 12, 16, 17, dans l'annexe 4), ces verbes nous renvoient à une fonction du narrateur:

1. narrative et conative;
7. narrative;
8. narrative;
9. conative;
12. narrative;
16. métalinguistique;
17. conative.

On voit combien le narrateur s'immisce dans son récit et combien, délibérément, il le prend en charge: à cause de son caractère explicite, cette organisation du texte par le narrateur invalide sérieusement son dessein historique.

Nous n'avons pas oublié tous les autres cas de verbes commentatifs: il reste quinze cas. L'important, croyons-nous, est de connaître le contenu de ce qui est rapporté au moyen du commentaire. Voilà ce qu'il nous faut observer maintenant.

Tableau VI: Teneur des commentaires dans *AR*

2. Réflexions de Jules sur sa vie présente et passée;
3. Réflexions de Jules avant d'entrer chez lui;
4. Réflexions et doutes de Jules sur sa conversion;
5. Allusion historique au règlement XVII;
6. Description;
10. Accalmie dans la famille et interrogations de Jules sur Virginia;

11. Jules est témoin d'une conversation entre ses enfants;
13. Crise la plus aiguë de la lutte scolaire;
14. Allusion aux politiciens;
15. Réflexions de Jules: parlera-t-il au débat?
18. Le matin du débat, à l'église;
19. Réflexions de Jules, se souvenant de l'attaque de Maud;
20. Réflexions de Jules sur le débat;
21. Fin du débat et songes de Jules au retour.

3.20 La temporalité textuelle des verbes commentatifs.

L'ordre dans lequel se présentent les commentaires ne conduit à aucun résultat; et nous ne faisons pas d'étude de *durée* parce que, tel que nous l'avons dit dans la partie théorique de notre travail, les verbes commentatifs sont des êtres temporels qui n'ont d'autre extension que celle de leur apparition en texte. Reste la fréquence.

Nous avons divisé *L'Appel de la race* en trois parties: nous devons disposer, pour une étude de la *fréquence*, les groupements de commentaires et le nombre d'occurrences pour chaque partie.

Tableau VII: Fréquence globale des commentaires dans *A R*

Partie	Nombre de commentaires	Nombre d'occurrences verbales
I	4	50 (lc. 12.5 v.)
II	8	77 (lc. 9.5 v.)
III	9	155 (lc. 17 v.)

En chiffre absolu, le nombre de commentaires et le nombre d'occurrences verbales croissent; d'une manière relative, la partie médiane du récit accuse une légère baisse. Toutefois, globalement, on peut affirmer que le commentaire envahit le récit au fur et à mesure que ce dernier se déroule.

Voyons maintenant la fréquence des commentaires quant à leur contenu:

Tableau VIII: Fréquence des commentaires quant au contenu rapporté dans *A R*

1. Doutes ou réflexions de Jules, 8 commentaires;
2. Narrateur, 7 commentaires;
3. Histoire, 3 commentaires;
4. Description, 1 commentaire;
5. Autres, 2 commentaires.

Nous constatons, pour l'ensemble du récit:
1. un accroissement du nombre de commentaires;
2. une importance du commentaire chez Jules et le narrateur.
Arrivons dès lors à la forme globale du récit, là où s'unifieront toutes les conclusions qui ont surgi des divers niveaux d'analyse.

4.00 La forme d'un récit didactique.

Qu'est-ce au juste qu'un roman à thèse? C'est ce que nous devons maintenant préciser. Mais les choses ne sont pas si simples dans le cas de *L'Appel de la race*: le roman se veut (aussi) un récit Historique[10]. Les événements relatés ont été puisés dans l'Histoire et, au surplus, le personnage principal, Jules de Lantagnac, a donné lieu à des rapprochements avec des députés de l'époque, qui vivaient eux aussi dans ce quartier où se trouve la rue Wilbrod. Nous pouvons donc nous assigner pour tâche de savoir jusqu'à quel point le dessein Historique a été maintenu, et jusqu'à quel point il cède au dessein didactique; mais, et c'est là notre souci, cette confluence Histoire-didactisme, c'est par la forme du texte que nous la saisirons.

Sur quoi fonder cette opposition dessein Historique/dessein didactique? Le dessein Historique interdit toute référence au narrateur, et doit se priver au maximum d'une communication directe avec le narrataire. Sans cesse, les rapports narrateur-narrataire doivent être médiatisés par un «il», l'histoire, dans son existence affranchie de toute subjectivité, linguistique ou autre. Le dessein didactique s'affirme comme une contradiction du projet Historique:

> [...] le projet du roman à thèse n'est pas de créer un univers dans lequel narrateur et narrataire s'enferment dans une communication; univers clos, sans rapport avec les réalités extralinguistiques mais, cet univers n'étant qu'un leurre, de faire en sorte que la communication ne s'établisse pas, l'essentiel étant de ramener ce narrataire à un autre niveau, dans le présent du narrateur, afin de le soumettre à des vues didactiques[11].

Dans ce conflit éventuel entre le dessein Historique et le projet didactique, une connaissance, ou mieux, une situation relative de ces deux modalités pourrait permettre de voir laquelle occupe le

---

10. Pour éviter toute confusion entre Histoire, dans le sens présent, et histoire en tant que diégèse, nous la désignons dans ce dernier cas par une minuscule.

11. Janine Boynard-Frot. *Structure du roman à thèse dans «Les Jours sont longs» d'Harry Bernard*, Mémoire de M.A., Sherbrooke, 1974, p. 142.

premier plan, laquelle, l'arrière-plan. Voilà ce que *L'Appel de la race* nous invite à déterminer par le revers de sa forme. Pour ce faire, voyons d'abord, par voie de superposition, les différents étagements de la forme de L'*Appel de la race*; nous pourrons ensuite commenter chacun des niveaux dans la perspective générale du récit à thèse.

Tableau IX: La forme globale de *A R*

Parties Niveaux	I	II	III
1. *Séquences*[12]	o. action-arrêt	action-arrêt	action-arrêt
	d. baisse de l'importance accordée à l'objet narratif de chaque partie		
	f. dislocation, distension progressive des séquences		
2. *Mode*	o. diég. →mim.		
	mim. →diég. →mim.		
	mim. → diég. →mim.		
	d. diégésis ————————→mimésis		
	f. diégésis ————————→mimésis		
3. *Voix*	f. accroissement du nombre de commentaires		

1. La forme des séquences

La forme des séquences nous a révélé que chacune des trois parties du roman *L'Appel de la race* fonctionnait selon le mouvement action ——→ arrêt et que le récit tout entier manifestait une baisse, un ralentissement général accompagné d'une diminution de l'importance accordée aux objets narratifs principaux: francisation, députation, débat oratoire.

La forme qui vient d'être décrite désigne une première approche du roman à thèse, ou didactique: il n'est pas interdit de prétendre que, dans *L'Appel de la race* tout au moins, l'histoire n'est pas livrée pour elle-même, mais qu'elle réclame un dépassement, qui est en même temps un arrêt diégétique au profit d'une réflexion théorique et même idéologique. Voyons là un méca-

---

12. Les o., d. et f. qui suivent désignent ordre, durée et fréquence.

nisme que, dans une perspective de communication, nous pouvons circonscrire avec plus de netteté: le but du narrateur, dans *L'Appel de la race*, n'est pas avant tout de livrer une information historique, mais de faire savoir les effets de l'histoire sur un autre système, celui de l'idéologie. L'événement n'apparaît jamais suffisant, il réclame dans les trois cas une conclusion, un bilan, un modus vivendi entre narrateur et narrataire sur la position des personnages et sur les répercussions idéologiques de leur agir diégétique. La diégèse, par ce mécanisme qui la subordonne, est rejetée à l'arrière-plan et elle figure comme une démonstration dont il faut tirer des conclusions. Une telle insuffisance de l'histoire nous amène à conclure que l'information livrée par le narrateur cherche à dépasser le temps et à prendre vie dans un système rejoignant le présent narrateur-narrataire. La diégèse se voit privée d'une des conditions essentielles de tout système complet, l'autorégulation. Les projets Historique et diégétique se trouvent, par voie de conséquence, compromis: ou bien l'Histoire ne subsiste que dans une diégèse instrumentale, ou bien elle se trouve dans les séquences terminales, elles-mêmes anhistoriques. Dans les deux cas, l'histoire se retrouve dans un milieu inconfortable: elle est moyen, et alors c'est la thèse qui l'évince, ou elle est pause, et alors son dynamisme même est attaqué.

On voit que le récit de Lionel Groulx, récit Historique, présente paradoxalement une diégèse d'allure stagnante, piétinante. Signalons ici une hypothèse de travail selon laquelle le roman à thèse, quant au rapport information/informateur, s'articulerait

+ informateur
− information.

L'hypothèse, dans sa simplicité, apparaît juste, mais on sait qu'il n'en est pas toujours ainsi, du moins rigidement, dans *L'Appel de la race*. Certes la thèse peut exister, dans un roman, par un dépassement de la diégèse: c'est dans la mesure où l'histoire, visiblement, est transcendée qu'une nécessité extrinsèque lui donne son souffle de vie (s'il est vrai que l'on puisse alors parler de vie...). *L'Étranger* de Camus, par exemple, nous livre un choix d'événements, de conduites, qui ne relève pas du hasard et tend à la démonstration; mais jamais, sauf peut-être lors des pages finales, l'histoire se voit-elle systématiquement bloquée, commentée, expliquée par un principe extérieur. Mais dans *L'Appel de la race*, l'enjeu n'est plus narratif...

2. Le mode

Revenons à la question du roman Historique: il est permis de croire que la teneur Historique d'un récit méritera un traitement sous forme de récit d'événements. Il ne s'agit pas de confondre roman Historique et roman d'aventures, évidemment, mais de bien saisir que l'Histoire, telle que traitée par un discours narratif, implique une part quand même importante du récit d'événements.

Rien de tel ici. Le récit de paroles commence à envahir le discours narratif à partir de la première partie du récit, à un point tel que, dans la troisième partie, l'action Historique consiste, pour Jules, à prendre la parole lors du débat. Toute la troisième partie est unifiée par cette force centripète. Nous voici dans un texte prolixe où le discours, sous le mode du récit de paroles, parle de parler. Ainsi, si on veut invoquer un maximum d'information, ce n'est pas dans le sens diégétique du terme: l'action progresse peu pendant que Jules tient de longs discours intérieurs sur l'attitude qu'il doit prendre. Le projet Historique se trouve à nouveau mis en cause: le haut degré mimétique de la troisième partie l'appauvrit.

Ainsi apparaît une transgression intéressante: la baisse ou la dislocation de l'information narrative correspond à une excroissance de la mimésis, qui est mimésis du verbe. C'est à nouveau l'Histoire qui est amputée et les possibilités de didactisme surgissent. Le lieu privilégié, cependant, du didactisme, se situe au niveau de la voix, niveau de l'univers du narrateur, premier responsable d'une «voix à thèse»...

3. La voix

Les doutes et les réflexions de Jules remportaient la palme quant au nombre de commentaires: dans ces moments d'interrogation du personnage principal, le récit s'arrête, et, ce qu'il perd en superficie historique, il le gagne en profondeur lyrique et méditative. À ces moments de blocage, le récit se retourne sur lui-même, s'interroge: apparition, alors, du discours narrativisé, de locutions modalisantes, des points d'interrogation, etc. Ces arrêts du récit, au surplus, nous sont livrés au présent, cette marque mettant en relief d'une manière particulière — tendue, dirait Weinrich — le message communiqué. La diégèse ou même l'Histoire cèdent devant les interrogations de Jules face à sa députation, face au débat:

Voici plusieurs jours que Lantagnac retourne fiévreusement, dans son esprit, la cruelle alternative. Dures journées pour lui, d'épuisants tiraillements. Parfois il serait tenté de se palper, de se demander: «Est-ce bien moi? Est-ce que je ne rêve pas? Ne serais-je point devenu, par hallucination, le héros fatal d'un roman ou d'un drame affreux?» (*A R*, 205).

Nous avons déjà parlé de cette présence presque envahissante du narrateur qui exploite ses fonctions avec générosité: nous en voyons maintenant les implications. De plus, comment expliquer ce fait que l'Histoire elle-même se voit attribuer trois commentaires? Car il y a là une contradiction apparente entre un dessein d'objectivité et un mode de communication subjectif.

De toutes ces remarques, il apparaît que

1. le commentaire, de façon générale, freine l'histoire, et même l'Histoire, et pose la communication dans le présent narrateur-narrataire;
2. ce système de communication subjective envahit progressivement le récit;
3. *L'Appel de la race*, par les réflexions de Jules ou du narrateur, par l'Histoire dont «la crise la plus aiguë» (*A R*, 175) nous est livré au présent, compromet sa qualité de «récit Historique»: plus le récit progresse, moins il est Historique. Le système narratif, envisagé par le biais du commentaire, présente la même cohérence que par l'étude de la durée: mais ici, le narrateur ne perd pas de l'importance, il en prend, plus particulièrement en feignant d'être témoin du drame intérieur de Jules de Lantagnac.

4. Conclusion

Nous avons cherché à préciser, depuis le début de ce travail sur *L'Appel de la race*, le fonctionnement et la structure d'un roman à thèse.

Les séquences ont mis en relief la baisse de l'information narrative; le mode a fait ressortir l'aspect mimétique mais verbal du roman; enfin la voix, en soulignant la multiplication progressive des commentaires, nous a permis de montrer la profondeur et la verticalité, mais aussi le freinage progressif de la diégèse. C'est vraiment une «forme» qui s'offre à nos yeux: tous les niveaux s'éclairent les uns les autres, se combinent mutuellement dans une mixtion harmonieuse, unifiée.

Ainsi chaque réseau, chaque ligne du récit, quant à sa forme, montre la façon dont *L'Appel de la race*, sous des dehors de roman Historique, se pose comme une oeuvre qui, au fur et à mesure qu'elle avance, amplifie, exacerbe même le contact narrateur-narrataire.

L'Appel de la race doit donc être écarté de la lignée des romans Historiques: sa structure, sa forme, que notre modèle a permis de connaître, interdisent une telle dimension, et nous révèlent plutôt les arcanes du récit didactique.

CHAPITRE II

**_Poussière sur la ville_ d'André Langevin:
la forme du récit «cas de conscience»**

L'objet de ce chapitre souffre, selon l'expression de Gérard Genette, d'inflation délibérée: c'est à dessein que nous avons choisi une œuvre plusieurs fois étudiée, afin de vérifier la validité de notre méthode de travail par une certaine originalité des résultats obtenus. Trois points de vue, apparemment irréductibles à l'unité, feront les frais d'un examen attentif: le découpage, le temps et le mode. Il nous apparaît cependant opportun, préalablement, de jeter quelques lumières sur l'appellation «cas de conscience» que nous avons employée plus haut.

Cette appellation, nous l'empruntons à Jacques Michon[1], qui désigne ainsi un «genre» littéraire prédominant vers 1950. Ce récit pose un problème de vie intérieure, résultat d'une confrontation entre plusieurs normes. Or, notre intérêt, bien sûr, portera du côté de la forme d'un tel récit «cas de conscience», dans ce qu'elle a de singulier et d'original.

1.00 Le découpage.
1.10 Les unités du découpage: les séquences.

Le texte se présente à nous comme un syntagme aux proportions gigantesques, qu'il faut apprivoiser par petites tranches. En mettant à contribution le modèle de Bremond, nous pouvons facilement établir 35 séquences élémentaires dans le récit. Notre intention étant de lier ce découpage aux deux instances de discours, le temps et le mode, nous le présenterons à l'annexe 6, précédé d'une chronologie interne (annexe 5).

---

1. *Structure, idéologie et réception du roman québécois de 1940 à 1960*, Études présentées et rassemblées par Jacques Michon, Dép. d'Études françaises, Université de Sherbrooke, 1979.

1.20 La temporalité textuelle des séquences.

La mise à jour et la temporalité textuelle des séquences nous ont permis d'établir 5 groupes répartis ainsi selon les 3 parties du roman, sur le plan de l'*ordre*:

Tableau X: L'ordre des séquences dans *Poussière sur la ville*

Parties	I		II	III
Séquences	1 1-12			
	2	13-17		
	3		18-27	
	4			29-32
	5			33-34
Histoire	Alain s'inter- roge sur la vérité de l'aver- tisse- ment	Alain veut en savoir plus sur les agirs de Made- leine	Alain cherche à savoir qui est vrai- ment son épouse	Alain tente une der- nière révolte	Alain prend une décision
	1	2	3	4	5
	Savoir au sujet d'un faire (l'avertissement)		*Savoir* au sujet d'un être (Made- leine)	*Faire*	
	Alain: patient d'une $\overline{DO}$ agent d'une $\overline{AO}$		Alain: agent d'une $\overline{DO}$	Alain: patient d'une $\overline{DO}$ agent d'une AO	

(*Note pour la lecture du tableau:* A, D, O signifient Amélioration, Dégradation, Obtenue; le trait horizontal indique la négation, de telle sorte que $\overline{AO}$ signifie Amélioration non obtenue.)

Le récit, perçu par le détour de l'ordre des séquences, pose cinq groupes séquentiels qui, intégrés aux trois parties du roman, présentent un mouvement ternaire:

Savoir[2] (au sujet d'un faire) $\overline{DO}$ et $\overline{AO}$

Savoir (au sujet d'un être) $\overline{DO}$

Faire (décision finale d'Alain) AO

Toute la première partie ne pose qu'une seule question: «Qu'a voulu dire le Syrien?» (*P.*, 13). Alain se rend à l'évidence, le mal implanté par Kouri s'implante, «je ne lui résiste plus» (*P.*, 67); ce premier savoir, dont Alain surtout a été le patient[3], implique un savoir supplémentaire: «On m'a triché, je le savais» (*P.*, 95), dit Alain au début de la seconde partie, en ajoutant «J'ai le droit de savoir [...]!» (*P.*, 104). Ce savoir sera presque complet au terme de cette seconde partie («Comme je comprends maintenant!» [*P.*, 153]), mais il se doublera d'une absence de pouvoir («Mon souvenir [...] ne réussit pas à me faire rebeller» [*P.*, 148]) et d'une absence de vouloir préalable («Il y a mon indifférence à mon propre bonheur» [*P.*, 156]). Voilà pourquoi, en troisième partie, le faire devra attendre jusqu'aux dernières pages: «je m'injecte de l'indifférence» (*P.*, 170) précédera «Je continue mon combat» (*P.*, 213).

Le récit se présente donc à nous comme une immense phrase en trois temps, où le personnage Alain passe d'un double savoir à un faire et où, patient d'une $\overline{DO}$, agent d'une $\overline{AO}$ et agent d'une $\overline{DO}$, il devient agent d'une AO. Permettons-nous, à la suite de ces considérations, d'interroger sérieusement tous ceux qui ont placé *Poussière sur la ville* dans la catégorie des récits de l'échec ou de la défaite: rien, structurellement du moins, ne nous invite à de telles affirmations. Au contraire, le personnage central liquide un manque par un savoir et un faire, et au surplus, quant à son rôle narratif, il passe de patient à agent. Nous nous trouvons en conséquence aux antipodes de l'antihéros.

La *durée* des séquences ne nous a guère apporté de résultats, si bien que nous attaquerons tout de suite leur *fréquence*. L'observateur, même peu attentif, n'aura pas manqué de repérer le caractère répétitif des séquences 1-12, c'est-à-dire correspondant

---

2. Nous donnons à ces mots *savoir* et *faire* une acception beaucoup plus large qu'on leur reconnaît habituellement.

3. Dans le sens que donne Claude Bremond à ce terme, dans *Logique du récit*.

au premier groupe du tableau 10. Ces douze séquences reproduisent exactement le même modèle triptyque:
1. avertissement;
2. conscience, inquiétude, à la suite de l'avertissement;
3. négation de la validité de l'avertissement, sauf à la séquence 12, qui marque une étape décisive: «le mal implanté par Kouri s'est implanté en dépit de mon refus [...]» (*P.*, 67).

L'avertissement, réitéré avec force, vient constamment relancer le récit, frapper le clou afin de faire accéder le personnage central à un savoir essentiel à la poursuite du récit: son épouse le trompe. Le récit piétine, avorte, tourne en rond, dans un mouvement en spirale où les mêmes séquences se répètent pour poser définitivement le «cas de conscience».

2.00 Le temps.
2.10 Les unités du temps.

Nous limiterons notre analyse, dans *Poussière sur la ville*, aux questions d'ordre, c'est-à-dire aux analepses et aux prolepses. Nous avons dégagé, à l'annexe 7, huit analepses macroscopiques et autant de prolepses.

2.20 La temporalité textuelle des unités du temps.
Les analepses.

L'*ordre* des analepses, intégré à leur portée, présente le mouvement suivant:
1. externe
2. externe
3. externe
4. interne
5. externe
6. interne
7. interne
8. interne.

Ce passage de l'externe à l'interne est dû au type d'amorce du récit *in medias res*: ce genre de commencement oblige le récit à récupérer certains antécédents de sa fable. Les quatre analepses externes permettent une extension remarquable du champ temporel du roman et, quant à leur fonction, ces anachronies viennent «modifier après coup la signification des événements passés, soit en rendant signifiant ce qui ne l'était pas, soit en réfutant une première interprétation en la remplaçant par une nouvelle[4]». L'analepse la plus remarquable, la seule externe qui soit, quant à son amplitude, complète, est l'avertissement de Kouri, réitéré explicitement en neuf occasions. Nous avons déjà signalé l'importance de l'avertissement: c'est lui qui inaugure chez Alain la quête du savoir. Cette quête prend maintenant à nos yeux une dimension nouvelle: le roman vit entre l'innocence du présent et l'éveil rétrospectif, entre «De mon émoi de la veille il ne subsiste rien» et «Qu'a-t-il voulu dire le Syrien?».

Dans la première partie de *Poussière sur la ville*, les analepses ont une *durée* de vingt-deux pages; dans la deuxième, cinq pages; dans la troisième, treize pages. La première partie, par sa grande durée, signale bien cet enfoncement du récit dans le passé: la quête du savoir prend alors des proportions très grandes par rapport au récit premier: «Madeleine m'échappait par plusieurs points» (*P.*, 13); «entre nous subsistait une ignorance profonde» (*P.*, 34). Les analepses veulent justement, par l'éclairage rétrospectif, combler ce vide, cette ignorance.

La deuxième partie, d'extension temporelle moins grande, poursuit la recherche du savoir: «ce qu'elle a aimé en moi, je l'ignore. Peut-être ne m'a-t-elle jamais aimé» (*P.*, 131). Cette recherche s'avère cependant moins dense dans le déroulement textuel.

La troisième partie pose un problème: les analepses y ont une plus grande extension temporelle. Deux remarques cependant: d'abord leur objet s'écarte de la quête du savoir. Il s'agit plutôt de différentes actions, de différents comportements dont il est question. Et ensuite, si ces analepses occupent une grande durée, elles sont cependant plus disséminées dans le texte: nous voici au seuil de la fréquence.

L'observation de la *fréquence* des analepses soulève une constatation unique mais extrêmement importante: un groupement initial (aux pages 11-38) extrêmement dense et serré. Ces pages contiennent plus d'analepses que le reste du roman tout entier... Grande complexité, donc, qui s'allie à la durée également remarquable de ce groupement.

En imbriquant ordre, durée et fréquence, nous saisissons le rythme, la structure particulière du texte, c'est-à-dire un passage

1. Complexe ———————→ simple
2. Savoir ——————→ disparition du savoir
3. Externe ——————→ interne.

---

4. Gérard Genette. *Figures III*, p. 96.

Les prolepses

Nous avons déjà fait remarquer qu'aucune prolepse ne peut se greffer, quant à sa portée, sur une échelle chronologique précise: aucune étude d'*ordre* possible ou, plus précisément, monovalence sur ce plan: les prolepses sont toutes internes.

Les prolepses se résument, dans presque tous les cas, à une ligne ou deux: aucune étude de *durée* ne peut être faite. La *fréquence*, pour sa part, présente un filon beaucoup plus riche. Le groupement des prolepses s'établit comme suit: partie I, 2; partie II, 2; partie III, 4. Le mouvement qui préside à leur fréquence en texte est donc l'inverse de celui des analepses: du simple au complexe. Cette configuration doit être rapprochée des modalités du savoir et du faire qui nous suivent depuis quelques pages. Dans cette perspective, les prolepses déclarent un mouvement du savoir au faire, du sens de la vie de Madeleine à la décision d'Alain.

Toutes ces considérations rendent compte d'une forme extrêmement intéressante de *Poussière sur la ville* quant à ses phénomènes d'ordre:

	Partie I		*Partie II*		*Partie III*
Analepses	Complexe[5]	⟶	simple	⟶	simple
	Savoir	⟶	savoir	⟶	—
	Externe	⟶	interne	⟶	interne
Prolepses	Simple	⟶	simple	⟶	complexe
	Savoir	⟶	savoir	⟶	faire
	Interne	⟶	interne	⟶	interne

La complexité initiale de *Poussière sur la ville* repose sur les analepses; sa complexité finale, sur les prolepses. Le savoir s'enracine surtout dans les analepses; le faire, dans les prolepses. Ces considérations, fondées sur la temporalité textuelle de l'ordre, étoffent les conclusions que la forme des séquences nous avait révélées: le passage du savoir au faire a trouvé, dans les analepses et les prolepses, une prise en charge particulière qui, à la manière d'une mosaïque, constitue progressivement la forme:

Découpage:	*Savoir* (au sujet d'un faire)	⟶	*Savoir* (au sujet d'un être)	*Faire*	⟶
Temps:	*Analepses* ⟶*Savoir*		*Prolepses* ⟶*Faire*		

---

5. *Complexe* et *simple* doivent être compris dans l'acception que nous leur avons donnée dans notre partie théorique, et recouvrent ainsi les termes de *fréquent* et *rare*.

3.00 Le mode.
3.10 Les unités du mode: le discours immédiat.

Art de communication, le roman, en tant que discours narratif, veut établir une liaison entre un émetteur et un récepteur. Ce processus de communication peut aussi avoir la propriété d'intégrer à son tour des sous-systèmes, assurant une communication eux aussi. Le monologue intérieur — pour prendre l'appellation courante — représente sans doute l'un de ces sous-systèmes qui ont le plus marqué le roman du vingtième siècle.

L'attitude que nous venons de décrire face au monologue intérieur libère plusieurs interrogations: l'appellation *monologue intérieur* sied-elle pour nommer cette réalité narrative? Celle-ci est-elle vraiment un système de communication? À ce titre, relève-t-elle du discursif ou du narratif? Pouvons-nous voir comment elle s'insère dans un récit et comment elle fonctionne intrinsèquement? Et, enfin, peut-on ambitionner de mettre au point une grille qui serve à mesurer son information?

Telles sont les questions auxquelles nous devrons d'abord répondre face à ce «fourre-tout» qu'a été le «monologue intérieur», avant d'en étudier la fonction dans *Poussière sur la ville*.

Monologue intérieur ou discours immédiat?

Une rose, a déjà dit Shakespeare, sentirait aussi bon même si elle portait un autre nom: ainsi en est-il de cette modalité la plus mimétique du récit littéraire que l'on baptise tantôt monologue intérieur, tantôt discours immédiat[6]... À première vue, le choix d'une appellation au détriment de l'autre ne semble entraîner aucune conséquence pratique au sens que William James donnait à ce terme: «Pour qu'une controverse soit sérieuse, il faut pouvoir montrer quelle conséquence pratique est nécessairement attachée à ce fait que telle possibilité est seule vraie[7].» Pourtant nous ne pouvons rester sourds à la tendance — fort justifiable — d'adopter le point de vue de l'immanence pour définir cette forme ou cette modalité narrative, en appuyant l'affirmation de Vladimir Propp: «[...] la seule étude qui puisse répondre à ces conditions est celle qui découvre les lois de sa structure [...][8]». Et, s'il en va

6. L'essentiel de cette section sur le discours immédiat (comme le nomme G. Genette) a déjà paru dans *Présence Francophone*, vol. 14, printemps 1977.
7. William James. *Le Pragmatisme*, p. 49.
8. Vladimir Propp. *Morphologie du conte*, p. 25.

ainsi, nous devons reconnaître — sans ambages — que nous n'avons pas affaire à un monologue, mais bien à un discours «où les deux phases de l'Ego se posent en s'opposant»: il n'est pas étonnant que le terme «monologue» ait cours, puisque celui qui a produit à ce sujet un livre célèbre parle de «discours sans auditeur[9]». Nous savons pourtant qu'il n'en est rien et qu'un système de communication ne peut avoir d'un monologue que les apparences: en dépit d'un «accent mis sur le locuteur[10]», le mode narratif qui nous préoccupe ici est véritablement discours tel que défini par Benveniste comme «expression de la langue comme instrument de communication[11]». À l'emploi métaphorique de «monologue» nous préférons le terme «discours», témoin véritable de l'échange verbal intersubjectif où le je peut s'interpeller par tu; — que, dans cette même voie de définition structurelle, il semble également plus opportun de parler de discours immédiat plutôt qu'intérieur. L'emploi d'un tel vocable désigne peut-être la meilleure prévention contre un psychologisme irrecevable qui risquerait de contaminer nos remarques ultérieures. Ce discours qui apparaît intérieur est avant tout immédiat en ce qu'il se présente sans introduction déclarative, à l'encontre du discours indirect, par exemple. De plus, pour qu'un discours soit intérieur, il faudrait postuler qu'il puisse être également extérieur, ce qui n'est possible qu'en quittant délibérément le plan de la définition stylistique pour mettre pied sur un terrain plus mouvant, celui du rapport entre l'univers évoqué par le récit et un certain «univers réel»: on définirait alors les concepts intérieur/extérieur comme on a déjà défini le réalisme, c'est-à-dire par une adéquation au «réel».

Si on a bien voulu nous suivre dans ces considérations, on nous autorisera alors à employer «discours immédiat» (désormais DI) à propos d'une certaine méthode qui ouvre un champ d'application intéressant dans le cadre d'une recherche sur le roman à la première personne: forme la plus mimétique du récit de paroles, le DI nous situe, comme on le verra, à cette limite où le récit peut s'abolir dans le discours et ce, à n'importe quel moment.

On soupçonne les difficultés suivantes, à la suite de cette première approche du DI:

---

9. Édouard Dujardin. *Le Monologue intérieur*, p. 59.

10. O. Ducrot et T. Todorov, *Dictionnaire encyclopédique des sciences du langage*, p. 387.

11. Émile Benveniste. *Problèmes de linguistique générale I*, p. 130.

a. comment le DI s'insère-t-il dans le discours narratif et quel est son fonctionnement intérieur?
b. quel est son rôle dans le récit?

Ce problème à deux volets, qui comporte en réalité trois questions, reprend dans les mêmes termes le projet de travail qu'a déjà formulé Philippe Hamon, il y a quelques années, au sujet de la description[12]: on pourra voir, un peu plus loin, comment description et DI répondent à cette même définition de sous-systèmes de communication.

À partir de notre objet de recherche et des questions que nous lui avons posées, c'est une approche de la syntaxe du DI que nous convoitons ici et, pour appliquer une méthode appropriée à l'objet, la poursuite de cette réflexion liminaire nous invite maintenant à penser le roman comme système de communication dans lequel nous poserons le sous-système constitué par le discours immédiat.

Roman, discours immédiat et communication

Nous avons établi dans la partie théorique de notre travail que le roman est un système de communication dans lequel nous posons, également considéré comme un art de communication[13], le DI. Cette dernière mise au point nous mène à la communication à la fois la plus immédiate et, paradoxalement, la plus médiatisée.

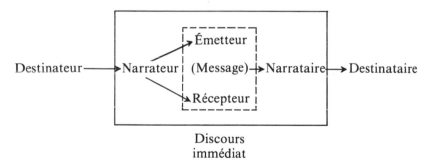

La nature de l'objet étudié réclame d'emblée une approche sémiotique, s'il est vrai que cette science se propose l'étude de «tous les processus culturels en tant que processus de communication[14]».

---

12. Philippe Hamon. «Qu'est-ce qu'une description?», *Poétique*, 1972.
13. Voir à ce sujet Louis Francoeur, «Pour une typologie du monologue intérieur», p. 2.
14. Umberto Eco. *L'Oeuvre ouverte*, p. 30.

Saussure a déjà parlé d'une science qui étudie les signes au sein de la vie sociale[15]; Charles S. Peirce nous a rappelé la distinction importante entre signe, objet et interprétant, et Charles Morris a posé les trois niveaux essentiels de l'analyse sémiotique, syntaxique, sémantique et pragmatique.

Nous proposons donc d'examiner le fonctionnement et le rôle narratif de ce système singulier de communication que constitue le discours immédiat. Cela ne va pas sans a priori: si le DI est un sous-système de communication autonome, on peut supposer qu'il présente les principaux caractères inhérents à toute structure[16]:

a. totalité: le DI doit manifester une ouverture, une fermeture et une suffisance interne telles qu'il ne se réduise pas à une sommation de signes, sinon rien ne le distinguerait du discours narratif dans lequel il peut s'insérer;

b. transformation: le DI est un système dynamique et il porte une information nouvelle qui lui est spécifique;

c. autoréglage: une structure suffisante doit se régler elle-même, acquérant du même coup son étanchéité de catégorie littéraire.

Avons-nous éclairé le rapprochement fait préalablement entre la description et le discours immédiat? La description, si nous suivons Hamon, accomplit la transmission d'un savoir d'un destinateur à un destinataire; sous-système de communication, elle présente des affinités avec le DI, système également spécifique de transmission d'information. Nous allons démontrer de quelle façon, donc, ce système particulier contribue au récit d'une manière qui lui est propre. Pour cette raison, les problèmes auxquels nous allons maintenant nous attaquer sont semblables à ceux formulés par Hamon dans son étude. Toutefois, avant d'interroger le DI, une dernière mise au point, ou mieux, une mise en cause: la distinction récit de paroles/récit d'événements.

Récit de paroles et récit d'événements

Gérard Genette fait remonter, avec raison, cette distinction récit d'événements/récit de paroles à la Grèce ancienne. Il paraîtra peut-être outrecuidant que nous interrogions maintenant ces catégories et que nous convertissions en problème une

---

15. Ferdinand de Saussure. *Cours de linguistique générale*, p. 33.
16. Voir Jean Piaget, *Le Structuralisme*, Abraham Moles, *Art et ordinateur* et W. Watslawick, *Une logique de la communication*.

certitude millénaire; et pourtant, une certaine logique conduit inévitablement à cette mise en cause.

Quand il parle de récit de paroles et de récit d'événements, nous avons l'impression que Genette — car il s'agit vraiment de préjuger de ses intentions — emploie «récit» dans le sens de «l'acte de narrer pris en lui-même[17]». Dans cette acception, la critique est souvent portée à attribuer au seul récit d'événements la communication de l'information diégétique, le récit de paroles véhiculant pour sa part davantage de renseignements indiciels et d'autres informations du même acabit. Il apparaît indubitable que, d'une manière générale, le DI ait un faible caractère narratif: mais cette évidence ne doit pas nous faire oublier que le DI peut, malgré sa qualité de récit de paroles, présenter une teneur diégétique. Cela revient à dire qu'il ne faut pas trop rapidement établir une adéquation entre récit d'événements et récit historique[18]. À cause d'un rapprochement malheureux, événement et fonction sont souvent pris comme synonymes. Claude Bremond parle d'un récit quand il y a «un discours intégrant une succession d'événements d'intérêt humain dans l'unité d'une même action[19]». La notion de fonction, c'est-à-dire «l'action d'un personnage définie du point de vue de sa signification dans le déroulement de l'intrigue[20]», ne recoupe pas le concept événement, ou mieux, elle le dépasse: c'est une succession de fonctions qui définit le récit comme discours narratif, et non une succession d'événements. La réflexion de Roland Barthes a d'ailleurs touché à cette distinction fonction-événement par le biais des catalyses, des indices, des informants.

Revenons à notre propos inaugural. En posant les catégories récit d'événements/récit de paroles, Genette peut également prendre «récit» dans le sens qui préside à l'ensemble de *Figures III*, c'est-à-dire comme discours narratif. On sait d'ailleurs que c'est une aptitude essentielle du discours narratif que de mettre l'accent soit sur la narration, en sa qualité de discours, soit sur l'histoire, en sa qualité de narratif. Ainsi en est-il, forcément, du récit de paroles, puisque c'est lui qui sollicite notre attention: le DI pourra être soit narratif, soit commentatif.

---

17. Gérard Genette. *Op. cit.*, p. 71.
18. Entendons historique dans le sens de diégétique: ne pas confondre avec le sens que Benveniste donne à ce terme.
19. Claude Bremond. «La logique des possibles narratifs», p. 62.
20. Vladimir Propp, *Op. cit.,* p. 31 et Claude Bremond, *Logique du récit*, p. 131.

Récits
- d'événements
  - narratif
  - commentatif
- de paroles
  - narratif
  - commentatif

Insertion et fonctionnement du discours immédiat

Nous avons posé le DI comme sous-système de communication dans un système plus englobant, le récit littéraire, et ce sous-système, à présent, pourra être soit narratif, soit commentatif[21].

Le discours immédiat narratif

Séquence I: Qu'a voulu dire le Syrien? Je ne sais pas. Question de bienséance sans doute. Macklin ne doit pas priser que Madeleine soit vue seule chez Kouri tous les jours. Hé bien! Macklin n'a qu'à se faire une raison. Cela ne concerne que Madeleine et moi (*P.*, 13).

Séquence II: *Lâcheté*. Le mot me colle au crâne, aussi moite que ma peau. Qu'en penserait Madeleine? Elle l'a peut-être prononcé avant tous les autres. Mais non, je m'égare (*P.*, 211).

Nous présentons deux exemples de ce que nous désignons comme des DI narratifs. Le fonctionnement interne de ces deux séquences ne diffère en rien de celui que l'on connaît du récit d'événements narratif:

Perspective d'Alain

Séquence I:	Dégradation possible ↓	L'avertissement de Kouri
	Processus ↓	«Macklin ne doit pas priser...»
	Dégradation évitée	«Cela ne concerne...»
Séquence II:	Dégradation possible ↓	Éventualité: avoir été lâche
	Processus	«Qu'en penserait Madeleine?»

---

21. Bien sûr, nous adoptons ici une position radicale: le DI n'est pas une entité discrète et peut ainsi présenter un dosage du narratif et du commentatif.

↓

Dégradation évitée[22] «... je m'égare.»

Nous pouvons cependant cerner de plus près l'insertion et le fonctionnement de ces deux séquences. Nous constatons, de visu, que chacun des exemples présente, de manière non obligée cependant[23], un influenceur qui exerce sa fonction «sur un agent éventuel, c'est-à-dire un patient qu'on suppose capable de réagir à l'influence qui s'exerce sur lui[24]». Grâce à cet influenceur I, un personnage P s'engage dans un processus, dans le cas présent, de dégradation. Cette entreprise, qui succède à un savoir redevable à I, se déroule nécessairement en trois temps: une ouverture, un processus et une fermeture, manifestés ici explicitement (on pense particulièrement aux fermetures, «Cela ne concerne...» et «Mais non, je m'égare»). Un examen attentif des séquences de DI dans *Poussière sur la ville* nous montre bien combien les trois volets ouverture — processus — fermeture sont marqués fortement. Un troisième exemple nous en convaincra.

> Kouri a certainement voulu dire davantage. Autrement il n'eût pas parlé. Il sait, lui, ce que Madeleine fait dans son restaurant, à qui elle sourit, à qui elle adresse quelques mots. Il sait aussi ce qu'on peut en dire dans la ville. De tout cela il a tiré une conclusion, qui était de m'avertir. Bah! Le Syrien est assez simple d'esprit et s'est alarmé pour quelques mots mal entendus (*P.*, 13-14).

Nous avons un fonctionnement absolument identique à celui des exemples préalables, schématisé avec les symboles qui viennent d'être posés:

I: Kouri et son avertissement;
↓
P: Alain;
↓
⌈ Ouv.: Dégradation possible, par le rappel de l'avertissement
│   de Kouri;
↓
│ Pro.: Attribution d'un savoir à Kouri;
↓
⌊ Fer.: «Bah!...»

---

22. Nous avons quelque peu simplifié le schéma de ces deux séquences qui serait:

$$DP$$
$$P = AP$$
$$\overline{DO} = \overline{AO}$$

23. Voir à ce sujet Claude Bremond, *Logique du récit*, p. 159.
24. *Id.*, p. 242.

Le fonctionnement du DI narratif semble ainsi répondre à une formulation prévisible du type:

I ———→ P ———→ (Ouv. ———→ Pro. ———→ Fer.)

et présenter les caractères essentiels à tout système: totalité, transformation et autoréglage.

Le fonctionnement, ou la syntaxe (au sens large) du DI que nous avons mis à jour serrait de près sa structure narrative: il est possible, et même souhaitable, d'approfondir l'enquête. Benveniste nous y invite dans sa réflexion sur les trois comportements de l'homme modalisés par le discours: l'assertion, l'interrogation, l'intimation[25]. Quelques années plus tard[26], il ajoutait aux fonctions syntaxiques dont dispose l'énonciateur pour influencer l'allocutaire une catégorie de modalités formelles verbales (optatif, subjonctif) ou phraséologiques (locutions modalisantes). Une réflexion sur la syntaxe du DI doit se nourrir de ces fonctions syntaxiques. Sans doute le DI ne peut-il se réduire à une organisation syntaxique prévisible: tout au plus pourrons-nous la mettre en rapport avec le fonctionnement narratif proposé plus haut, en accolant les fonctions syntaxiques au triptyque narratif ouverture — processus — fermeture.

		Fonction narrative	*Fonction syntaxique*
Séquence I:	Ouverture		$\bar{\text{I}}$[27]
	Processus		A – Ã
	Fermeture		O – A
Séquence II:	Ouverture		A – I
	Processus		A
	Fermeture		A
Séquence III:	Ouverture		A
	Processus		A – A – A
	Fermeture		A

On voit que toutes les fonctions syntaxiques semblent théoriquement possibles: si nous en avons décrit quelques cas, ce n'est pas

---

25. Émile Benveniste. *Op. cit.,* p. 130.
26. Émile Benveniste. *Problèmes de linguistique générale II*, p. 84-85.
27. Le trait horizontal indique la négativité, l'horizontal ondulé, la modalisation. De plus, I, A et O signifient respectivement interrogation, assertion, intimation.

pour saisir une nécessité interne, mais plutôt pour récupérer, plus avant dans notre travail, la valeur informative de cette même organisation syntaxique.

Le discours immédiat commentatif

Séquence I: Quels ont été, d'ailleurs, nos liens spirituels? Fragiles. Madeleine n'a jamais été pour moi cette compagne qui imprime ses pas dans la trace de celui qu'elle aime; sur le plan intellectuel nous n'avons jamais communié. Qu'aurais-je fait d'un double de moi-même? Je ne l'ai jamais, non plus, par la force des choses, dominée par l'esprit. Nos rapports étaient physiques, essentiellement. J'ai aimé en elle la liberté de son corps et cet amour-là, qui peut affirmer qu'il n'est pas le vrai? Ce qu'elle a aimé en moi, je l'ignore. Peut-être ne m'a-t-elle jamais aimé. Elle jouait peut-être et n'a pas su quand le jeu devait cesser. Idée intolérable, mais enfin je devrai un jour, et je n'y suis pas préparé, m'interroger sur le destin de Madeleine, démêler la cruauté de la faiblesse, la fatalité de la trahison. Mais ce sera beaucoup plus tard, quand nous serons heureux de nouveau (*P.*, 131).

Séquence II: Je voulais peut-être étreindre l'éternité en elle, connaître la volupté de l'immortalité. Mes bras n'enserraient plus qu'une femme lasse qui pensait à autre chose. Madeleine, tu fuyais déjà ce premier jour. L'instant avait eu la plénitude que tu désirais et il était déjà mort. A-t-il même laissé un souvenir en toi? Tu me demandais le nom de l'oiseau au cri de crécelle, tu pensais à ce que tu allais faire pour finir le jour, tu cherchais par tous les moyens à te distraire de notre acte. Mais, peut-être, souffrais-tu, toi aussi, de retomber à raz de terre et t'éloignais-tu pour échapper au supplice (*P.*, 147).

Nous venons de prendre connaissance de deux segments que nous rangeons sous la bannière du DI commentatif. Impossible dans ces cas d'insérer le texte dans une dynamique historique. Les segments se présentent comme une longue réflexion portant, dans les deux cas, sur le passé: le DI commentatif cumule la même fonction que celle attribuée par Genette aux analepses, c'est-à-dire faire circuler le sens dans le récit. Dans le DI commentatif, la perspective de locution, en empruntant le terme de Weinrich[28], peut varier capricieusement entre le passé, le présent et le futur. Dans les deux séquences que nous avons livrées, cette mobilité temporelle, d'ailleurs aléatoire, interdit toute prévisibilité: la première séquence présente une configuration passé-futur, la seconde demeure au passé.

L'organisation syntaxique des deux exemples de DI commentatifs, pour sa part, présente une allure assez complexe[29]:

Séquence I: I   A

I   A-A-A-M-A

Séquence II: Ĩ   A-M-Ã

Ajoutons à cela que le DI commentatif possède lui aussi ce caractère de totalité et, à cet égard, possède une ouverture, un processus (ou développement) et une fermeture. L'ouverture sera soit une interrogation, soit une assertion; le développement suivra les méandres d'une syntaxe capricieuse; enfin, la fermeture pourra prendre toutes sortes de formes aptes à clore le discours: prolepses dans le premier cas, explication de l'agir du personnage dans le second cas. Voici un troisième exemple:

Séquence III: Quels plaisirs communs avons-nous eus depuis notre mariage? Sur quoi nous accordons-nous? Ah! que tout cela est pauvre, que tout est bien raté. Nous ne sommes liés que par un échec commun. Une horreur physique de mon bureau, de mon appartement, de cette atmosphère de médiocrité mêlée d'hostilité m'assaille et je sors. J'ai l'âme fade comme de la poussière (*P.*, 89).

Structure facile à décrire par sa simplicité:

Ouverture: I
Processus: A
Fermeture: Qualification du personnage et sortie.

Fonction du discours immédiat dans le discours narratif

Toute interrogation sur le fonctionnement du DI trouve sa plus juste dimension si elle est d'abord posée en termes de

---

28. Harald Weinrich. *Le Temps*, p. 66 *sq.*
29. Remarquons l'absence d'influenceur: il arrive parfois que le DI rompt brutalement avec ce qui l'a précédé.

communication: le DI transmettra alors, selon diverses modalités, plus ou moins d'information. La question qui nous intéres-
sera sera alors non pas celle du quoi, mais du comment et même
du combien, si bien que l'information véhiculée par le DI se
présentera comme le résultat d'une mesure. Cette mesure ne sera
pas celle de la complexité des possibles à la source[30], mais de sa
complexité dans le discours.

R.H. Robins fait remarquer que le linguiste distingue généralement entre les structures de phrases (assertion, interrogation,
etc.) et «les fonctions situationnelles des énoncés, qui consistent
soit à fournir une information, à en demander une, à encourager
une action ou à en empêcher une[31]». Il ajoute que «n'importe
quelle forme de phrase peut remplir n'importe quelle fonction».
Cette information se présente à nous avec toutes ses conséquences et ses implications: il devient possible de postuler que les
structures syntaxiques du DI portent un taux variable d'information que le critique aura avantage à étaler.

Fonctions syntaxiques	*Fonctions situationnelles*
Assertion-Interrogation-Intimation	Fournir I-Modaliser I
Modalisation	Nier I-Demander I

Dans ce tableau, les fonctions situationnelles, de gauche à droite,
marquent une progression du taux d'information I. Le pôle
positif consiste évidemment à fournir une information: la
fonction syntaxique qui lui revient généralement est l'assertion.
La modalisation, indiquant «un certain degré d'adhésion du sujet
à son discours[32]», suspend l'assertion, affirme Todorov: l'information se présente obnubilée. Nous plaçons ensuite la négation
de l'information avant la demande: la négation, bien qu'elle soit à
certains égards néantisation de l'information, se présente aussi
comme «affirmation au second degré: elle affirme quelque chose
d'une affirmation qui, elle affirme quelque chose d'un objet[33]».
Enfin, le déclin d'information se clôt avec la demande, puisqu'on
ne peut demander, en général, que ce qu'on ne sait pas.

---

30. Cette perspective de complexité à la source était celle de Shannon et Weaver dans *The Mathematical Theory of Communication*.
31. R.H. Robins. *Linguistique générale. Une introduction*, p. 247.
32. Dubois et *al. Dictionnaire de linguistique*, p. 320.
33. Henri Bergson. *L'Évolution créatrice*, p. 311-312; cité dans Maurice Grevisse, *Le Bon Usage*, p. 127.

Sans doute a-t-on déjà compris pourquoi, plus avant dans notre recherche, nous avons établi les grandes fonctions syntaxiques du DI: c'est à partir de celles-ci que nous pourrons mesurer le degré d'information soit d'un seul segment de DI, soit de tous les DI dans un récit-occurrence.

Reprenons, pour illustrer, la première séquence que nous avons examinée dans notre étude du DI narratif. Nous pouvons alors traiter ce segment ainsi:

Fonctions syntaxiques				*Fonctions situationnelles*			
Ass.	Interr.	Intim.	Modal.	Fournir I	/ Mod. I	/ Nier I	/ Demander I
	*						*
*						*	
*					*		
		*			*		
*						*	

Dans le cas que nous venons d'examiner, l'information se trouve modalisée, niée ou demandée. La troisième séquence («Kouri a certainement...») présente une structuration tout autre:

Fonctions syntaxiques				*Fonctions situationnelles*			
Ass.	Interr.	Intim.	Modal.	Fournir I	/ Mod. I	/ Nier I	/ Demander I
			*			*	
*				*			
*				*			
*				*			
*				*			

Cette séquence se présente comme beaucoup plus riche: une seule modalisation pour quatre présentations d'information.

Nous croyons que cette façon de travailler peut conduire à des résultats intéressants quant à la fonction du DI dans l'ensemble du roman. Tantôt tel groupement de DI présente-t-il, statistiquement, beaucoup d'information, tantôt au contraire se fait-il plus laconique: ces différentes pulsations sont essentielles à la vie du récit.

Qu'en est-il dans *Poussière sur la ville*?

3.20 La temporalité textuelle des séquences de discours immédiat.
Les discours immédiats narratifs et commentatifs

À l'aide de la mise au point que nous avons faite au sujet de son fonctionnement, nous avons pu repérer, sans trop de difficulté, 28 segments de DI[34]. La distinction que nous avons faite entre DI commentatifs et narratifs nous sera évidemment précieuse: nous croyons que la dissémination en texte de ces deux types ne relève pas du hasard, mais qu'elle présente une finalité.

Dans *Poussière sur la ville*, si nous suivons l'*ordre*[35] des DI en indiquant C pour commentatif et N pour narratif, nous obtenons:

Pages	11	25	50	75	100	125	150	175	213
N	....	..		..				.	...
C		.		....	...	.	..	.	..

Il est assez intéressant de voir le rythme du narratif/commentatif: le récit s'amorce par le DI narratif, se poursuit longuement sous le signe du commentatif, et se termine par le narratif. En fait le premier mouvement, narratif, désigne chez Alain la quête d'un savoir: l'avertissement de Kouri est-il fondé ou non? Le dernier segment de DI narratif de cette partie se termine d'ailleurs par «Il s'en faudrait de peu que mon inquiétude ne se précisât» (*P.*, 39). Un peu plus loin Alain pourra dire: «Le mal apparu sans douleur pendant que Kouri me parlait hier soir a terminé son temps d'incubation. Il s'est implanté en dépit de mes dénégations, de mon refus de le voir. Je ne lui résiste plus» (*P.*, 67). Le second temps du récit est d'ailleurs amorcé, et durera presque jusqu'à la fin: Alain entreprend — et c'est le DI commentatif qui nous le livre — d'identifier son épouse: «Entre nous subsistait une ignorance profonde» (*P.*, 34), et Alain tentera de préciser la nature de cette différence qu'auparavant il sentait «confusément sans pouvoir la formuler» (*P.*, 63). Vers la fin de ce volet commentatif, Alain pourra affirmer: «Comme je comprends maintenant» (*P.*, 153). Puis Madeleine se tuera: Alain décide d'agir, c'est-à-dire de lutter contre toute la ville. La distribution textuelle de DI obéit à une dimension structurelle déterminée:

---

34. Sur quoi s'est fondé ce repérage? On peut, bien sûr, se fier à l'impression «d'entrer dans la subjectivité du personnage», mais c'est bien peu. Outre que le DI se présente comme récit de paroles, nous nous sommes servi du portrait de son fonctionnement que nous avons établi à la page 77, et des traits distinctifs qu'on peut lui reconnaître: syntaxe hachurée, locutions modalisantes, phrases interrogatives et/ou exclamatives, système d'auto-interpellation du personnage (ainsi: «Parce que Kouri me révélait une part de la vie de Madeleine que je ne connaissais pas? Peut-être [*P.*, p. 13]). Voir l'annexe VIII.

35. L'étude, ici, se limite à cette dimension.

narratif	commentatif	narratif
SAVOIR	SAVOIR	FAIRE
Vérité de l'avertissement	Recherche de l'identité de Madeleine	«Je continue mon combat.»

Fonction du discours immédiat

En prenant un par un les 28 segments de DI que nous avons repérés, et en respectant le triptyque narratif-commentatif-narratif, nous pouvons leur appliquer notre grille de mesure de l'information établie plus haut.

	Information				
	Fournie	Modalisée	Niée	Demandée	
I: Narratif	6	6	3	0	+I
II: Commentatif	30	3	1	8	–I vs +I
III: Narratif	4	1	0	0	+I

Les deux volets narratifs, quantitativement, présentent des groupements riches en information: il est dans leur nature narrative de ne pas demander de l'information sans y répondre ipso facto; assez paradoxalement cependant, le deuxième volet, commentatif, oscille entre l'information demandée, taux minimal, et l'information fournie, taux maximal. La fonction des DI recoupe leur distribution textuelle:

1. Narratif commentatif:	N	C	N
2. Fonction narrative:	+I	–I vs +I	+I
	Savoir d'un faire: vérité de l'avertissement	Savoir d'un être: identité de Madeleine	Faire: décision d'Alain

De plus, cette configuration s'emboîte aux précédentes:

3. Découpage: Savoir d'un faire ⟶ Savoir d'un être ⟶ Faire: décision

4. Temps: Analepses: Savoir   Prolepses: Faire

Conclusion sur le discours immédiat

C'est volontairement que, au cours des lignes que l'on vient de lire, nous avons hésité entre une réflexion sur les conditions d'existence de DI et son incarnation dans un récit-occurrence. Nous croyons que, si réduite l'application fut-elle, le modèle peut pour sa part être investi dans d'autres récits. Qu'on nous permette ce seul exemple tiré du *Libraire* de Gérard Bessette:

La cause de mon refus? — C'est que ça m'emmerde d'aller fouiller dans le capharnaüm. Si c'est un simple aphrodisiaque que ces zigotos-là cherchent, il y a d'autres moyens. Je ne vois pas pourquoi je devrais me déranger alors qu'il existe des établissements spécialisés dans ce domaine. Moi, ce n'est pas mes oignons. La liberté de penser, je veux bien. Mais ça n'a ici rien à voir. Si j'avais sous la main des livres «qui cognent», je les leur passerais, simplement pour me débarrasser d'eux. Mais c'est loin d'être aussi simple que ça[36].

On reconnaît sans peine un DI commentatif, qui fonctionne exactement comme ceux que nous avons décrits dans *Poussière sur la ville*:

Syntaxe	
Ouv.: Interrogation	«La cause de mon refus?»
Pro.: Assertion et assertion modalisée	«C'est que...»
Fer.: Assertion	«Mais c'est loin d'être aussi simple que ça.»

Il est donc permis de croire d'une manière certaine que le DI peut être identifié dans un récit sans trop d'hésitation, qu'il se pose comme système de communication narratif ou commentatif, et enfin que nous pouvons mesurer et qualifier le type d'information qu'il véhicule.

4.00 La forme du récit «cas de conscience».

Vous lisez une première étude sur *Poussière sur la ville*: l'on vous parle de fatalité. Vous en lisez une seconde: l'on vous parle d'échec. Vous en inférez, avec raison, une relation de cause à effet: la fatalité rend l'échec nécessaire. Cela est bien connu...[37] On a fait longtemps de *Poussière sur la ville* un récit de l'échec.

---

36. Gérard Bessette. *Le Libraire*, p. 72.

37. C'est le ton de quelques articles, par exemple, du numéro d'*Études littéraires* sur André Langevin, août 1973.

Mais est-ce tout? N'y aurait-il pas une autre façon de lire *Poussière sur la ville*?

Évidemment, nous répondons affirmativement à cette dernière question, mais à la condition essentielle que cette nouvelle lecture émane de la forme du récit.

Le tableau qui suit présente la configuration d'ensemble de *Poussière sur la ville*: nous respectons la division ternaire qui a été établie lors de l'analyse des séquences.

Tableau XI: La forme de *Poussière sur la ville*

	I	II	III
1. *Séquen-ces*	Complexe *Savoir* →	simple (±) *savoir* →	simple *faire*
2. *Temps*:	+	+	+
analepses	Complexe Savoir →	simple (±) savoir →	simple ±
	+	+	
prolepses	Simple *Savoir* →	simple *savoir* →	complexe *faire*
	+	+	+
3. *Mode*	Narratif *Savoir* →	Commentatif *savoir* →	narratif *faire*

Poussière sur la ville nous apparaît ainsi comme le récit d'une victoire, concrétisée par le *faire* final d'Alain, par sa décision. Toute la structure du récit concourt à dire que la rupture initiale provoquée par Kouri, entraînant le doute et la recherche d'un savoir, se convertit par la réconciliation. La mémoire a plus ou moins échoué dans sa tâche de rendre l'univers cohérent; mais le bris de la plénitude inaugurale sera réparé par le *faire* qui, à sa manière, dit que le récit peut être clos. À nouveau donc, verticalement, les niveaux s'additionnent sans problème, et ce à chacune des trois parties; et, à nouveau également, le roman vit une transformation ternaire. Le système n'est pas immobile, le donné n'est pas que révélé, il est transformé: *savoir* (au sujet d'un faire), *savoir* (au sujet d'un être), et enfin *faire* (décision finale). Le personnage central, Alain, prend en quelque sorte charge de son destin par ce *faire*: cela nous apparaît d'une manière particulière dans le troisième volet de la forme de *Poussière sur la ville*. La forme nous force donc à conclure que, contrairement à l'opinion habituelle, *Poussière sur la ville* ne peut être considéré comme un «roman de l'échec», pour reprendre une étiquette particulière de la critique. Les phantasmes qui ont collé à *Poussière sur la ville* s'estompent: Alain, celui qui choisit la vie et le combat, clôt le récit selon un mode actif. C'est l'homme dominé qui devient l'homme dominant. Notre façon de travailler a contribué à faire ressortir comment chacun des niveaux du texte, comme chaque instrument d'un orchestre, s'harmonise au tout dans une perspective d'unité et d'accord.

Et au delà de ces constats de victoire ou d'échec, nous avons tenté de faire voir la forme même du récit «cas de conscience». On aura d'ailleurs été sensible à l'importance du savoir initial, qui pose ce cas; au groupement des analepses, dont la fonction est de l'éclairer davantage; des prolepses, qui tentent de le résoudre; et enfin du monologue intérieur, discours approximatif qui accroît l'incertitude du cas tout en apportant quelques réponses... Nous reprendrons ces traits spécifiques à l'occasion de la confrontation, à la fin de ce volume, des trois formes que nous aurons obtenues.

CHAPITRE III

Quelqu'un pour m'écouter de Réal Benoit: une logique de l'acommunication

Le titre du récit de Réal Benoit s'inscrit d'une manière singulière dans l'effort de recherche que nous faisons depuis quelques pages: comme appel à la communication, *Quelqu'un pour m'écouter* désigne l'entreprise même qui sous-tend l'acte littéraire: «je suis hypocrite», dit Rémy, le personnage central; «comme s'il y avait quelqu'un là pour m'écouter [...]¹». Mensonge ou vérité de la communication romanesque? Quoi qu'il en soit, la critique voit devant elle l'énormité de sa tâche: vérifier la validité de la communication littéraire dans un récit dont le titre n'invite pas à chercher dans cette direction, bien au contraire... Ajoutons à cette difficulté que la lecture des ouvrages critiques n'offre pas plus de promesses: à notre connaissance, personne ne s'est attaqué aux structures de *Quelqu'un pour m'écouter* et à la validité de la communication qui en résulte.

Le récit se divise en trois parties inégales. Dans la première, un homme, Rémy, sur le point de partir de chez lui, «doucement déplace du linge et des souvenirs» (*Q.*, 15). En cette soirée, «la clameur et les choeurs remontaient, comme s'accordant au rythme des fracas des cauchemars d'autrefois, choeurs à plusieurs voix, voix qu'on ne reconnaissait pas, qui parlaient de choses connues, mais sans ordre, dialogue de sourds [...]» *(Q.*, 58). Dans la deuxième partie, le narrateur, interrompant le récit, interroge ouvertement son projet littéraire: «je ne peux plus jouer à l'auteur détaché, au jeu du camouflage» (*Q.*, 85). Il va même jusqu'à avouer qu'il ne sait pas développer (*Q.*, 87) et qu'il faut accepter de tourner en rond pendant des heures, quitte à boucher les trous vides (*Q.*, 92-93). Dans la troisième, l'histoire se poursuit: Rémy est accueilli par les F., puis les S., qui le gardent à coucher. De son

---

1. Réal Benoit. *Quelqu'un pour m'écouter* (désormais *Q.*), CLF, 1968, p. 138-139.

lit Rémy examine un cadre qui exorcise son mal: le lendemain, il se réveille beaucoup mieux.

Les citations que nous venons de lire apportent une autre valeur de trouble: le récit de Réal Benoit serpente entre le présent et le passé, le diégétique et l'onirique, sans ordre apparent, pendant qu'un personnage, identifié tantôt par Do, tantôt par Rémy, «hurle en silence au fond de la mer» (*Q.*, 43). Le narrateur, par jambages, écrit-il droit? C'est l'unité du projet d'écriture que nous mettrons en cause en étudiant, dans *Quelqu'un pour m'écouter*, le temps et la voix. Nous établirons d'abord un découpage général du récit.

1.00 Le découpage.
1.10 Les unités du découpage: les séquences.

Le découpage de *Quelqu'un pour m'écouter* offre une allure assez déroutante. La première partie du roman comprend trois séquences élémentaires, la deuxième partie n'en présente aucune et la dernière, sept. Cas extrêmement intéressant: le récit tend d'abord à traîner en longueur, et un projet aussi simple que celui de partir ne se réalisera qu'au bout de soixante et onze pages. Dans la dernière partie, les séquences, plus nombreuses, livrent beaucoup plus d'événements. Ces fluctuations apparaissent à l'annexe 9.

1.20 La temporalité textuelle des unités du découpage.

Le découpage de *Quelqu'un pour m'écouter* frappe par la simplicité des séquences. Abandonnons l'*ordre* des séquences: aucune modification à cet ordre, le récit se déroulant sans anachronies. La durée et la fréquence des séquences seulement nous serviront d'instrument de travail.

La *durée* des séquences se calcule très facilement, toujours en respectant la division du texte en trois.

Tableau XII: La durée des séquences dans
Quelqu'un pour m'écouter

Partie I
1. 71 pages;
2. 4 pages;
3. 6 pages;

Nil

Partie II

Partie III

3. 2 pages;
4. 3 pages;
5. 3 pages;
6. 2 pages;
7. 2 pages;
8. 4 pages;
9. 15 pages.

Comme nous l'avons fait remarquer, le rythme narratif varie énormément d'une partie à l'autre. La teneur historique de la première est faible, de la deuxième, nulle, de la troisième, forte. Pour estimer cette densité diégétique, on n'a qu'à diviser la durée totale des séquences par le nombre de celles-ci. De là, nous pouvons conclure que, dans la première partie, une séquence occupe en moyenne 23,5 pages, et, dans la troisième, quatre pages. La distorsion, très évidente, entraîne le schéma suivant (dont le caractère est d'être une approximation):

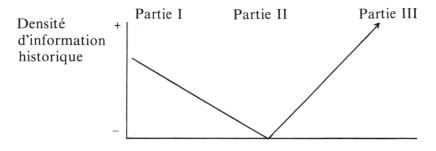

Densité d'information historique

Une structure de ce genre est assez étrange et se rencontre rarement; on verra plutôt, au début d'un récit, une grande densité d'événements qui pourront être intériorisés ultérieurement par les personnages: ce fut le cas dans *L'Appel de la race* et dans *Poussière sur la ville.*

Ici, rien de tel: la complexité historique, déjà faible, chute à la deuxième partie, pour croître vers un sommet jamais atteint à la troisième; s'il est toujours vrai que l'information est proportionnelle à sa complexité, nous rencontrons un cas probant où l'information atteint son faîte au terme du récit.

Définition fort simple mais, nous semble-t-il, fort juste: un roman est un processus où quelqu'un veut communiquer quelque chose à quelqu'un. Ce quelque chose, et le roman ne saurait s'y soustraire qu'au prix de sa propre perte, c'est une histoire. *Quelqu'un pour m'écouter*, dans ses deux premières parties, compromet sérieusement une telle intention de livrer une information historique; et — devons-nous dire heureusement? — la troisième sauve le récit du néant diégétique: pour peu, et nous n'avions pas droit à un discours narratif, mais à un discours tout simplement... Il nous faudra, plus avant dans cette analyse, mettre en relief cette importance du discours dans les deux premiers volets du texte. Mais il nous apparaît clair dès maintenant que l'enjeu de la communication littéraire se fait dans le dosage du discursif et du narratif.

Un examen de la *fréquence* des séquences donne, pour chaque partie:

I: 3 séquences;
II: aucune séquence;
III: 6 séquences.

Complexité au visage familier, qui oblige à réitérer notre affirmation: moins d'information en première partie, aucune en deuxième et plus en troisième:

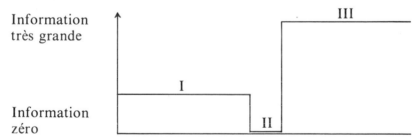

Ainsi, si l'on peut parler de succès ou d'échec de la communication littéraire, ce sera dans le sens d'une prise en charge, par le discours, d'une histoire qui, au terme du récit, se fait plus présente. De toute évidence, c'est en vertu de la pondération histoire/discours que *Quelqu'un...* réussit ou échoue dans sa tentative de communication. Passons ainsi à ce niveau du discours presque à l'état pur, niveau où, on le verra, se joue l'essentiel du roman.

2.00 Le temps.
2.10 Les unités du temps: les analepses.

Nous permettra-t-on une réduction? Nous n'avons d'autre intention, pour l'instant, que d'étudier l'angle temporel le plus intéressant de *Quelqu'un...*, les analepses. Une première lecture nous montre clairement l'importance des analepses; l'analyse, pour sa part, doit pousser l'enquête plus avant: il y a analepses, certes, mais comment celles-ci se groupent-elles et fonctionnent-elles dans le récit? Tâche d'autant plus significative que, nous le savons, le discours envahit le récit que nous étudions présentement.

L'annexe 10 qu'on voudra bien consulter n'est guère rassurante: aux imprécisions s'ajoute une apparence chaotique qui assombrit la perspective de chercher une nécessité dans le récit. Non pas que nous voulions arbitrairement augmenter le coefficient de difficulté. Les pierres d'achoppement sont réelles et une fouille plus attentive se chargera de nous les faire voir.

2.20 La temporalité textuelle des unités du temps.

Dans quel *ordre* se présentent les analepses? Dans aucun ordre apparent, pour dire vrai: c'est une dissémination capricieuse, aussi capricieuse que peuvent l'être la mémoire et le rêve, qui semble présider à la distribution des retours. Ce n'est donc pas tant un ordre relatif des analepses les unes par rapport aux autres qu'il nous faut chercher, mais leur ordre d'entrée en texte: après avoir examiné de près les analepses et, surtout, leur contexte, nous avons découvert que l'apparition d'une analepse est toujours précédée d'un catalyseur. Voici ce que, dans chacune des parties, cette simple constatation permet de dégager:

Tableau XIII: L'ordre des analepses dans
Quelqu'un pour m'écouter

Catalyseur	Analepse
Partie I	
1. En bas, silence (10)	Vie de Rémy
2. Tout est mieux que ce silence (13)	Mort du fils
3. Grand silence dans la maison (15)	Jeux Rémy-enfants
4. Un silence accablant (16)	Au restaurant
5. Le silence est de plus en plus lourd (41)	Jeunes amours
6. Rémy... hurle en silence (43)	Musique
7. Le lit... ne dira rien (55)	Jeunesse et amours
8. Calme ouaté de la chambre (57)	Cauchemars de jeunesse
9. Dialogue de sourds (58)	En canot
10. Rémy continue en silence (60)	Yvonne

11. L'image du téléviseur se brouille (80) — Idée de film
12. Rémy ne trouve rien à dire (81) — Rémy chez les prêtres

Partie II

Cette partie est plus complexe que la première: les analepses sont catalysées par quatre types d'amorces: le projet narratif, les soupçons, les yeux et le désir de consoler; de plus elles se terminent, dans chaque cas, par une négation de la communication.

1. Tourner autour du pot (85)	Projet	Crachoir	Je ne peux plus jouer (85)
2. Paroles de quelqu'un (85-86)	de	Quoi raconter	J'aime mieux ne pas écrire (87)
3. Que gagner à raconter? (88)	Raconter	Bonhomme	Il faut tourner en rond (92)
4. Tu m'ouvres la porte (95)		Enfance	... une autre fois (97)
5. Collège (96)	Soupçons	Golaud	... ne cherchons pas plus loin (96)
6. Garder les yeux ouverts (99)	Les	La tante	Fait oublier (100)
7. Un oeil trop clair (101)	yeux	Au restaurant	Trop beau pour durer (101)
8. Moment difficile (102)	Consolation	Yvonne	Rémy ne dit rien (101)

Partie III

La troisième partie ne répond à aucune structure de ce genre. Les analepses sont liées de très près à l'histoire en cours:

1. Rémy blessé (114) — La maladresse chez lui
2. Rémy cherche (117) — Souvenir de bonhomme
3. Rémy trouve le souvenir (120) — Se rappelle bonhomme
4. Rémy ne dort pas (127) — Il songe à sa première nuit après la mort du fils
5. Voulant aider bonhomme (134) — Rémy songe à ses bêtises

D'une manière parfaite, les analepses de la première partie épousent une structure

Silence → analepse.

Cet ordre d'apparition préside aux douze cas: dans un rapport vide → plein, les retours s'articulent à la suite de temps morts dans un discours dont on sait déjà l'anémie de sa diégèse.

La deuxième partie va davantage dans le sens d'une rupture de communication: ou bien le projet narratif subit un procès dont il sort perdant, ou bien le contenu des analepses, dialectiquement, se voit nié.

Dans la troisième partie, rien de semblable cependant: les anachronies sont mieux ajustées à la diégèse, elles l'enserrent davantage.

Partie I: Silence ⟶ analepse;
Partie II: Échec du projet narratif ou du contenu de l'analepse;
Partie III: Analepses serrant davantage la diégèse.

La *durée* des analepses, si nous entendons par durée leur longueur textuelle, est de

Partie I: 49/73 pages, soit 65%;
Partie II: 12/23 pages, soit 52%;
Partie III: 6/28 pages, soit 22%.

Comment interpréter ces résultats? Car, selon toute évidence, les analepses se retirent du récit d'une manière progressive: cette baisse de prolixité temporelle s'intègre-t-elle à nos données antérieures? Pour saisir avec justesse la portée de ce phénomène, nous aurions avantage à le mettre en parallèle avec l'information historique du récit. On se rappellera alors que, quant à l'histoire:

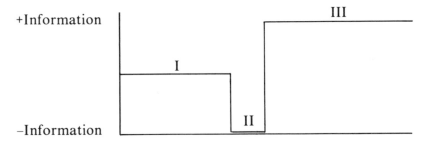

Et à ce tableau nous ajoutons celui de la durée des analepses:

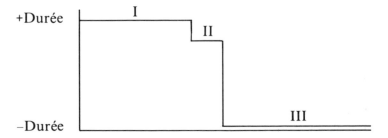

Cette façon de voir facilite l'accès aux conclusions: dans la première partie, l'information diégétique est moyenne, et les analepses envahissent massivement le texte; dans la deuxième, la diégèse est nulle, les analepses sont encore très présentes; dans la troisième enfin, l'information historique est très grande, et les analepses accusent une baisse considérable selon le point de vue où nous les considérons maintenant. Histoire et analepses sont voies d'information: leur importance respective déplace le pôle d'information selon chaque partie:

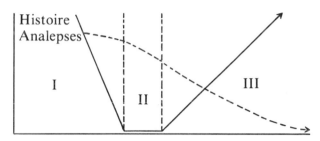

À une histoire faible, dans la première partie, s'accrochent des analepses qui démarrent dans des moments de silence; à une histoire nulle répondent des analepses qui contredisent soit le projet narratif, soit leur propre contenu; enfin à une histoire forte correspondent peu d'analepses étroitement liées, cependant, à cette histoire qui les cause. Tout se passe comme si, chez le personnage central du roman, la première partie était véritablement une descente dans le passé, au prix même de la communication littéraire: ce n'est pas un récit d'événements auquel nous avons surtout droit, mais un récit de souvenirs; suit alors le vide, la vacuité littéraire, l'histoire disparaît et les souvenirs sont à peine amarrés à un discours proliférant, qui réintégrera sa fonction narrative dans sa partie finale: le terrain du souvenir est abandonné pour celui du présent: «je me sens beaucoup mieux», affirme Rémy, comme si, dans la récupération du présent et de l'histoire, les jeux, soudainement, se faisaient mieux. En regardant de près le dernier schéma, on peut même hasarder une hypothèse: si véritablement la communication littéraire était accomplie en troisième partie, cela serait dans une mesure inversement proportionnelle à celle du souvenir.

Force est, finalement, de ne pas tenir compte de la *fréquence* des analepses: la durée excessive de deux de celles-ci, au restaurant (première partie) et avec Yvonne (deuxième partie), fausserait les résultats: la fréquence apparaîtrait extrêmement faible et la durée devrait alors nuancer les résultats obtenus. Cette dernière catégorie l'emporte donc en pertinence.

3.00 La voix.
3.10 Les unités de la voix: les points de suspension.

Pour comble, nous nous attaquons maintenant à un problème de voix fort mince, celui du point de suspension. Nous croyons que cette figure s'intègre à ce que Benveniste appelle «la subjectivité dans le langage»: marque de la présence en texte du locuteur, ce qui nous permet de parler d'un problème de voix, le point de suspension indique «que l'expression de la pensée reste incomplète pour quelque raison d'ordre affectif ou autre[2]»: incursion dans l'implicite (Bachelard), ce signe de ponctuation, signe de rupture, foisonne dans *Quelqu'un pour m'écouter*. C'est sa temporalité textuelle, selon son ordre et sa fréquence, que nous nous proposons maintenant d'observer.

3.20 La temporalité textuelle des points de suspension.

On se demandera, avec raison, à quoi l'on peut aboutir avec une analyse de l'*ordre* des points de suspension: question qui se fonde sur la possibilité même de trouver un ordre à des signes de ponctuation identiques.

Pourtant aucun point de suspension n'est identique à un de ses semblables, il survient dans le texte à un endroit qui seul est le sien. Et, pris dans sa position relative, aucun point de suspension n'est inutile, aucun ne peut se soustraire à une fonction spécifique, tout au moins dans un texte cohérent. *Quelqu'un pour m'écouter* présente-t-il cette cohérence?

Il nous a fallu examiner fort longtemps l'ordre des points de suspension pour arriver à des fins concluantes. Au terme de notre recherche, nous avons découvert ceci: plusieurs points de suspension, de toute évidence, ont une fonction proprement stylistique: interruption d'une pensée («il s'agit bien de manger... et il repartait, et elle le laissait repartir, elle le rejoindrait bien, n'importe où...» *Q.*, 17), introduction du récit de paroles («qu'est-ce que vous pensiez... rapprochez-vous, bon Saint-Pierre, je ne vais pas vous manger et même si j'allais vous manger... le chauffeur n'en peut plus, il éclate» *Q.*, 65). C'est une autre catégorie, avons-nous cru, qui devait retenir l'attention: cette catégorie, que nous appellerons littéraire, suppose que le signe de ponctuation puisse alors être surcodé par une fonction littéraire. Dans *Quelqu'un...*, un grand nombre de points de suspension répondent à cette défini-

---

2. Maurice Grevisse. *Le Bon Usage*, p. 974.

tion: quelle est alors leur fonction? C'est en examinant leur ordre que nous sommes parvenu à la découvrir. Les points de suspension, dans ces cas-là, ont pour fonction d'ouvrir et ou de fermer une analepse. Voyons à la loupe cette organisation plutôt singulière...

Tableau XIV: Points de suspension et analepses dans
Quelqu'un pour m'écouter

		Partie I	
1.		Vie de Rémy	Départs, recommencements... (12)
2.		Mort de son fils	Que voulez-vous mes enfants... (14)
3.		Jeux	qui dépasse les arbres... (16)
4. Il faut vivre... (16)		Au restaurant	la folie de la vie... (40)
4a.		Rêves de jeunesse	jamais sevré... (20)
4b.		Conférences	les plus dignes... (22)
4c.		Fuite du collège	une mère comme celle-là... (28)
5. par exemple... (42)		Jeunes amours	alors les présents... (42)
6.		La musique	aimait-il à répéter... (55)
7. plus voluptueux... (55)		Le lit	à la pitié... (56)
8. aucun son ne sort... (57)		Cauchemars	
9. qui avaient suivi... (59)		En canot	de peur et de panique... (60)
10. sous la langue... (63)		Yvonne	mais... mais... (76)
11.		Idée de film	étaient le même... (80)
12. dans la bouche... (81)		Chez les prêtres	sa note du mois... (81)

Partie II

1. autour du pot...	Crachoir	se faz caca... (85)
2.	Paroles de quelqu'un	mais d'ici là... (86)
3. la question... (88)	Bonhomme	Et supposons toujours... (89)
4. supposons toujours... (89)	Enfance de Rémy	peu fait pour moi... (91)
5.	Au collège	en savoir davantage... (96)
6. Je suis resté... (99)	La tante	qui n'arrangeraient rien... (100)
7. dans la rue... (101)	Au restaurant	une éternité... (102)
8. une éternité... (102)	Yvonne	posément... (106)

Partie III

1. Chez lui...	Maladresse	
2.	Bonhomme	
3.	Bonhomme	
4.	Après la mort	
5. ... un jour (134)	Bêtises	Mais je... (135)

Le mécanisme est trop récurrent pour ne pas être chargé de sens: l'ordre des points de suspension ne relève pas du hasard mais, bien au contraire, il établit une démarcation des analepses. Dans la première partie, sept analepses leur doivent leur ouverture, quatorze, leur fermeture, sur une possibilité de trente. La mécanique de cette première partie se résume donc par

Silence

———→ Analepse ———→ ···

···

Alors que dans cette première partie nous avions vingt-deux cas sur trente de réalisés, dans la seconde, nous en avons quatorze sur seize: la structure est alors poussée à l'extrême:

Négation

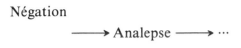

Rien de tel, pourtant, dans la troisième partie: seulement trois cas sur dix: baisse notable, qu'il nous faudra expliquer.

Les points de suspension prennent leur sens par rapport aux analepses. Il ne semble pas exagéré de dire que toutes les analepses, introduites ou fermées par ces signes de ponctuation, sont amorcées ou terminées par un vide; mal articulées au texte, elles sont balisées par des ruptures de communication. Nous rappelons à ce propos ce que nous avons dit, en souscrivant aux paroles de Maurice Grevisse: le point de suspension manifeste l'incomplétude de la pensée, une interruption, une discontinuation temporaire de celle-ci. S'accomplit alors une sorte d'obliquité qui fait dévier le discours narratif vers le discours tout court, au profit de l'implicite ou de l'émotion du locuteur. Ainsi, dans la première partie, les analepses sont mieux ajustées au récit qu'à la seconde; mais jamais le lien de l'analepse au récit n'est aussi étroit qu'en troisième partie. Faut-il y voir un mécanisme de communication? Nous croyons que oui, et ce d'autant plus que nous amenons de l'eau à notre moulin:

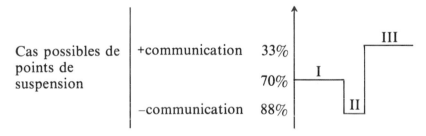

Le réseau de communication, anémique dans la première partie, presque entièrement inexistant dans la deuxième, beaucoup plus fort dans la troisième, suit exactement le même mouvement que les analyses d'information que nous avons faites par le biais du découpage et des analepses.

Qu'en est-il de la *fréquence*? Il nous faut d'abord un relevé exact et complet de tous les points de suspension pour chacune des parties:

Partie I: 144, soit environ 2 par page;
Partie II: 81, soit environ 3,5 par page;
Partie III: 59, soit environ 1 par page.

Signes de communication (ou de non-communication) implicite, les points de suspension posent comme à peu près équivalentes les parties I et III mais, et c'est ce qui nous intéresse, la deuxième partie présente une chute qui nous est familière:

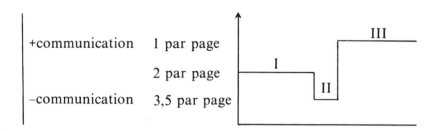

Nous espérons avoir montré combien une composante d'apparence aussi inoffensive que le point de suspension, placée dans sa véritable dimension textuelle, apporte sa contribution, si modeste soit-elle, au système de communication global de l'oeuvre littéraire.

4.00 La forme d'un «roman-poème».

Réjean Robidoux et André Renaud, dans *Le Roman canadien-français*, qualifient le récit de Réal Benoit de roman-poème. Quoi que l'on puisse dire au sujet de cette appellation, *Quelqu'un pour m'écouter* se situe, dans l'évolution du roman québécois, à un tournant décisif, celui du début des années 1960. Les caractéristiques que Gilles Marcotte a relevées dans son *Roman à l'imparfait*, nous les retrouvons ici, mais sur un autre plan: la communication à l'imparfait, qui se reflète dans une forme à l'imparfait. Voyons ainsi *Quelqu'un pour m'écouter*: un récit où le drame le plus passionnant qui se joue est celui de la communication littéraire, reflétée dans sa forme. Réussir un récit, ce n'est pas tant dire de bonnes et belles choses, mais bien réussir à mettre au point un processus de communication opératoire. Les trois parties du récit de Réal Benoit se situent, en vertu de ces visées, à trois paliers différents: la première partie présente une communication mitigée; la seconde nous plonge dans l'échec, et la troisième réussit là où les deux premières avaient échoué...

Tableau XV: La forme de *Quelqu'un pour m'écouter*

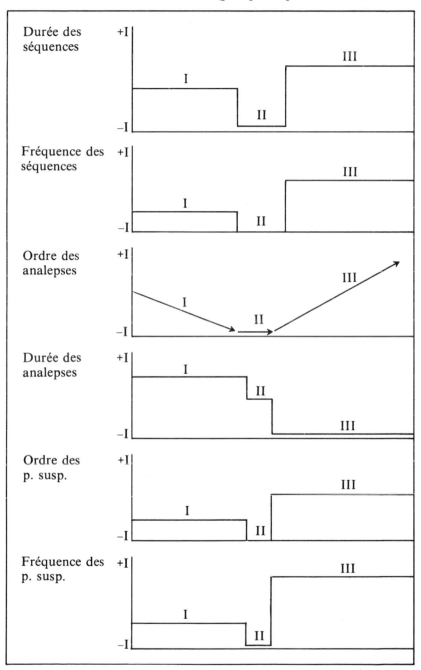

Cette saisie de la forme du roman fait voir jusqu'à quel point une forme existe par le truchement des liens de solidarité qui soudent ses différents niveaux: à chacune des trois parties du récit, les formes particulières du découpage, du temps, du mode et de la voix s'accordent en un tout unifié. Les positions théoriques que nous avions établies préalablement s'enrichissent à nouveau d'une démonstration concluante. Non seulement les différents niveaux se superposent-ils avec symétrie pour chacune des parties, mais aussi chacune des parties elles-mêmes s'articule-t-elle par opposition à sa voisine. La forme fait voir un dynamisme, une transformation interne: chaque partie de *Quelqu'un pour m'écouter* porte un taux d'information différent.

En effet, chacune des trois parties de *Quelqu'un pour m'écouter* se situe à un niveau différent par rapport à la densité d'information qu'elle nous livre: la première partie porte une information qu'on pourrait dire «moyenne», la deuxième «nulle», la troisième «forte». Le schéma qui suit essaye de rendre compte des transformations par partie en même temps que de leurs liens internes. Le signe + indique «lié à», et ~ marque la transformation.

Tableau XVI: Configuration verticale et horizontale de
Quelqu'un pour m'écouter

Axe de la transformation		
Parties		
Niveaux I	II	III
Séquences relativement fréquentes et de durée moyenne	~ *Séquences* courtes et peu fréquentes	~ *Séquences* courtes mais très fréquentes
+	+	+
Analepses envahissantes	*Analepses* ~ contredisant le projet narratif	*Analepses* ~ courtes et ajustées à l'histoire
+	+	+
Voix: points de suspension relativement présents	*Voix*: points de ~ suspension envahissants	*Voix*: points de ~ suspension moins fréquents
‖	‖	‖
±*Information*	~ –Information	~ +Information

Succès de la communication? Oui, dans un certain sens, mais dans celui seul qui a nourri nos recherches et soutenu nos investigations.

Notre modèle d'analyse[3], à notre avis, fait apparaître des résultats présentant deux volets: la forme du récit *Quelqu'un pour m'écouter* nous renseigne à la fois sur le titre du récit et sur l'historicité de son genre. Nous pouvons dire que *Quelqu'un pour m'écouter* pose vraiment la question même de la communication, du contact, et sa forme, habilement, parcourt tous les degrés de la communication, du moins au plus. Ce problème prend d'ailleurs une dimension littéraire importante: nous avons montré comment le roman qui «conteste» le roman inscrit cette mise en cause dans tous les replis de sa forme.

---

3. Une brève partie de cette étude, comme pour *Poussière sur la ville*, est parue dans *Études littéraires*, vol. 14, n° 1, avril 1981.

CONCLUSION

Ce livre a été coiffé de plusieurs titres, avant Le Temps et la Forme. *D'un titre obèse* (La Théorie de l'information, les signes, le temps et la forme du récit littéraire), *il est passé à un monstre d'abstraction, délectant les tératologues:* Essai de sémiotique syntaxique du discours narratif. *Quoi qu'il en soit, et nonobstant l'allure plus ou moins générale du titre final, on a bien vu quels problèmes ont nourri les pages précédentes: établir les rapports entre la théorie de l'information, le temps et les zones de signification de l'oeuvre littéraire. Ainsi avons-nous cherché à atteindre le plus important des objectifs que se soit fixés la sémiotique, l'établissement des conditions de saisie et de production du sens, objectif qui nous place en quelque sorte à mi-chemin entre la communication, c'est-à-dire la description des moyens ou du système, et la signification, mise à jour des indices signifiants du texte.*

En mettant à contribution une méthodologie apparemment fonctionnelle, la temporalité textuelle, arc-boutée dans la théorie de l'information, nous avons pu dégager des zones d'information et, dans l'ensemble, une forme globale pour chacun des trois récits qui ont passé l'épreuve de l'analyse.

Mais, au delà de ce qui est déjà connu, quel était le véritable enjeu de ce travail? Conclure, c'est en effet joindre les connaissances résultant du travail accompli à l'intérêt initial qui l'a engendré. Cette innocence rétrospective pose d'une manière vive le but premier de notre recherche, étayé par la méthode que nous nous sommes donnée et les résultats qu'elle a livrés.

Ultimement, sur le plan théorique et à chacune de nos analyses, nous avons tenté d'esquisser les contours formels d'un discours narratif, posant ainsi que la forme d'un discours dit ce que la seule surface linguistique du texte ne peut véhiculer. Une expression usuelle comme «le langage du roman», par exemple, a signifié tout au long de notre travail, le langage de sa forme. Il ne s'agis-

sait pas là, bien sûr, de la première réflexion sur la forme jamais parue! Mais c'est dans les moyens proposés et dans l'image particulière de la forme qui en est résultée que repose, nous semble-t-il, l'originalité de la démarche.

En effet, l'établissement des unités du récit n'a conduit qu'à l'application de «modèles» bien connus, modèles surtout de Bremond, Genette, Benveniste et Weinrich. Mais l'effort pour établir une charnière entre l'identification des unités et la constitution de la forme a ouvert une voie inédite: la temporalité textuelle. Loin de ses saisies familières, le temps a été lié d'une manière nécessaire aux unités du récit; ainsi, faisant reposer l'approche quantitative sur la théorie de l'information, le temps de ces unités a été rapatrié dans son lieu essentiel d'appartenance, le texte, le discours narratif lui-même. Hors du discours, point de temps. Cette réintégration dans le texte est donc première responsable du concept opératoire de «temporalité textuelle», définie par une mesure d'ordre, de durée et de fréquence des unités du récit-occurrence. De la sorte, la mise à jour des unités et l'étude de leur temporalité textuelle, accomplies à chaque niveau du texte, ont permis de poser des espaces (provisoires) pour chacun de ses niveaux, et l'intégration de ces «sous-formes» a rendu possible l'édification de la forme totale du récit, grâce à l'état de dépendance verticale des diverses configurations horizontales. L'objectif convoité semble avoir été atteint: établir entre les unités, la temporalité et la forme des ligaments qui les harmonisent, dans une perspective de complémentarité nécessaire. L'analyse des unités émerge de la fragmentation et de la seule identification et débouche sur la construction des espaces sémantiques du texte; la forme trouve en ces unités une ossature clairement identifiée; et enfin, la temporalité textuelle permet d'identifier les points de suture, les relations des unités en formes.

Cette approche, à première vue idéale pour un critique myope, ne doit pas camoufler une visée plus large, et pourtant dépendante, des pages qu'on vient de lire: l'acte de lecture, individuel et social.

Tzvetan Todorov parle de lecture-construction: une telle confiance en l'activité du pôle narrataire-lecteur ne peut masquer un versant passif de la lecture. Le lecteur s'offre vierge au texte: si tout est reçu selon le mode du contenant, le lecteur, vu d'un certain angle, n'a pas de contenant et peut se résumer à partir de sa seule capacité perceptive. Le texte se chargera de baliser cette puissance du lecteur en lui intimant (ou suggérant?) un compor-

tement, une restriction de son champ perceptif. Cette attitude n'est possible, cependant, que dans la mesure où le récit littéraire n'est pas une simple sommation de phrases mais aussi, et surtout, s'il représente une substance formée. «Substance», dans la mesure où il fournit une information sur lui-même, et «formée», en ce sens que — colonne vertébrale de notre recherche — la forme, d'une manière particulière et même privilégiée, fournit une information au narrataire par le truchement de la mesure de sa complexité.

«Une des difficultés dans l'étude de la lecture vient de ce que son observation est malaisée: l'introspection est incertaine, l'enquête psycho-sociologique, fastidieuse.» L'impasse créée par Todorov n'est pas à ce point fatale: en considérant le texte littéraire comme un acte intentionnel et en lui attribuant, par ricochet, un effet sur le lecteur, nous sommes autorisé à affirmer que cet effet se trouve dans ce que nous avons défini comme la «forme» du texte, c'est-à-dire la configuration de ses figures obtenue à partir d'une étude de la temporalité textuelle de celles-ci. Le texte exerce ainsi une persuasion clandestine sur l'acte de lecture: sa forme même, et ceci est capital, réclame un comportement particulier et cette réduction de l'aléatoire dans l'activité perceptive du texte, au profit d'une «signalisation textuelle» des carrefours et des noeuds privilégiés, désigne cette force persuasive. Il n'est plus question de lire «n'importe comment»: véritable garde-fou, la forme réduit en partie le narrataire à la passivité ou, plus précisément, dirige son activité, et cette diminution de «l'entropie» rend la lecture possible.

Nous voici donc loin d'une sémiotique close, c'est-à-dire d'une sémiotique qui s'enfermerait dans le système de communication linguistique. Nous avons débordé sur l'acte de lecture individuel et, même, collectif. En effet, il est bien connu que chaque époque, dans une littérature donnée, a ses attentes, sur le plan du contenu, attentes qui correspondent aux valeurs de la classe dominante et qui servent de critère de littérarité. Mais la littérarité n'est pas que conformité idéologique, elle est aussi conformité formelle. Chaque époque attend aussi de l'oeuvre littéraire un épanouissement formel prévisible (jusqu'à un certain point); et il ne serait pas trop difficile de montrer le lien entre les attentes littéraires des années 20 (le récit didactique), 50 (le récit «cas de conscience») et les années 60 (le nouveau-roman) d'une part, et les caractéristiques formelles des trois romans que nous avons étudiés d'autre part. En ce sens, nous pouvons parler d'une lecture sociale, c'est-

à-dire de la forme d'un roman jugée acceptable par une société donnée à une époque donnée, en fonction de l'idée qu'elle se fait à ce moment de la littérature.

Nous nous retrouvons à parler de littérature, c'est-à-dire de ce qui est important, après une centaine de pages qui en semblaient bien loin, errant entre les analepses et le discours immédiat, entre la théorie de l'information et la temporalité textuelle. Serait-il donc vrai, comme l'écrivait Jean Rostand, qu'en passant une vie à disséquer des grenouilles, on ne perde pas de vue l'essentiel?

ANNEXES

ANNEXE I
Chronologie sommaire de *A R*

— 10 Antécédents de la famille Lantagnac,	1746-1765	(p. 97).
— 9 Naissance de Jules,	1871	(p. 97).
— 8 Sortie du collège,	1890	(p. 99).
— 7 Rencontre Blackwell, arrivée à Ottawa,	1891	(p. 113).
— 6 Rencontre Maud Fletcher,	1891	(p. 113).
— 5 Installation rue Wilbrod,	1905	(p. 113).
— 4 Rencontre le Père Fabien,	Pâques 1913	(p. 96).
— 3 Désire jouer un rôle,	1914	(p. 100).
— 2 Visite ses ancêtres,	juin 1915	(p. 102).
— 1 Billet au Père Fabien,	30 juin 1915	(p. 95).
— 1 Visite au Père Fabien,	17h30	(p. 95).
	début juillet?	

Nous pouvons interrompre cette chronologie: à partir de la visite du Père Fabien, tous les événements dans le récit suivent un ordre chronologique presque inaltéré. On sera certes témoin de quelques altérations, comme la scène que fait Maud le dernier soir des vacances (*A R*, 121), mais jamais les événements importants — ceux qu'on retrouvera au découpage — n'en seront perturbés. Enfin, on ne saurait passer sous silence une faille difficilement explicable: le 7 mai, apprend-on, Jules de Lantagnac reçoit la visite inopinée de William Duffin (*A R*, 188). Ce dernier propose à Jules une promotion professionnelle douteuse: Jules refuse et éconduit son adversaire. Et le narrateur de préciser: «Ceci se passait le 2 mai» (*A R*, 191). La datation subséquente des événements permet d'inférer que cette première date du 7 mai est fautive. Le reste de *L'Appel de la race* ne présente aucun problème particulier.

ANNEXE II
Découpage de *AR*

1. DP: danger pour Jules de s'angliciser, 97-99
   P: Blackwell, Ottawa, mariage, 99-100
   DO: Jules est anglicisé, 100

2. AP: Jules veut jouer un rôle, 100
   P: il fréquente Fabien et ses ancêtres, 100-108
   AO: il retrouve son âme de Français et se confie à Fabien 95-97, 102

3. AP: Jules veut franciser sa famille, 111-115
   P: cours pendant les vacances, 115-121
   AO: succès, 121

4. DP: fin des vacances, 121
   P: chacun abandonne le cours, 121
   DO: échec et doute chez Jules, 123-127

5. DP: solitude Jules-Maud, 128
   P: querelle, 129
   DO: impasse chez Jules, 132

6. AP: démission de Landry, 133
   P: discussion Fabien-Duffin, 134-146
   AO: Jules sera candidat, 146-152

7. DP: solitude Jules-Maud, 152
   P: discussion, 153-156
   DO: impasse, Maud se retire, 156

8. AP: élu, Jules veut bien cumuler son poste, 157
   P: lectures, rencontres avec Fabien, 158
   AO: actions énergiques de Jules, 160

9. DP: craintes de Maud, 160
   P: journal de Jules; discussion, 160-172
   DO: unité familiale dissoute, 174

10. AP: Jules se demande s'il parlera, 175-181

11. DP: complot contre Jules, 182
    P: Duffin visite Jules, 183-192
    DO: Jules démissionne, 192

12. AP: Jules parlera-t-il?, 193-194
    discute avec Maud, 194-199
    discute avec Fabien, 220-226
    Jules à l'église, 222-227
    P: Jules se rend au débat, 227-234
    AO: il prend la parole, 235-237

13. DP: suites du débat, 238-240
    P: engagements de Maud, 240
    DO: départs de Maud et de Virginia, 241-244

14. AP: télégramme de Wolfred, 245-248
    P: arrivée du fils, 249
    AO: réconciliation, 250-252

ANNEXE III
Les figures du mode dans *AR*

Séquences	Fonctions	Nombre de pages	Mimésis	Diégésis
1.	DP	3		x
	P	1		x
	DO	1		x
2.	AP	1		x
	P	8	x	
	AO	3		x
3.	AP	5		x
	P	6	x	
	AO	1		x
4.	DP	1		x
	P	1		x
	DO	5	x	
5.	DP	1	x	
	P	2	x	
	DO	2	x	
6.	AP	2		x
	P	14	x	
	AO	1	x	
7.	DP	1	x	
	P	4	x	
	DO	1	x	
8.	AP	1		x
	P	2		x
	AO	1		x
9.	DP	1		x
	P	12	x	
	DO	1	x	
10.	AP	7		x
11.	DP	1	x	
	P	10	x	
	DO	1		x
12.	AP	34	x	
	P	8	x	
	AO	2		x
13.	DP	2		x
	P	1	x	
	DO	3	x	
14.	AP	3	x	
	P	1	x	
	AO	3	x	

ANNEXE IV
Les verbes commentatifs dans *AR*

1. ajoutons (96);

2. Il sent (100), est, paraît, est, se dissout, se découvre, sent, mènent, semble-t-il, pousse (101), inquiète, dégoûte;

3. est (112), s'en revient, se redisant, éprouve, connaissent, commence, entend, s'engage, voit, se répète, paraît, s'échelonnent, attire (113), se dresse, c'est, paraît, corrige, se hâte, habite, se livre à l'étude..., songe-t-il, se sent repris..., se répète-t-il;

4. veut (131), révèlent, prend, a, lit, craint (132), s'arrête, se met à douter, s'évanouissent, a conspiré, respire, fait, reprend, arrive;

5. se rappelle (134);

6. est (149), est, vient, regarde, déplore, livre, soufflent;

7. nous l'avons dit (149);

8. cela va de soi (150);

9. ouvrons (161), vont;

10. ont cessé (166), se prolonge, sait, meurent, est, se sont heurtés, survit, achève, peut, s'enveloppe, rend, est, continue, va, raconte, parle, exulte (167), fera, doit, manque, sera, se demande, a été, est, assiste, monte, trouve, est entré, a été, a vu, a reconnu, achevaient, s'est rappelé, s'est redite, s'est demandé;

11. écoute (168), discutent, décide, s'arrête, vient d'entendre, riposte (169), s'appuie, attend, va-t-il, vient, reprend, parle, retient, continue, subit (170), trouve, rompt, dit, descend (171), se fait entendre, rentre, accable, reconnaît, peut-il, ignorent, est, ont révélé;

12. nous n'avons pas à décrire (172), est;

13. traverse (175), continuent, s'ajoutent, refuse, a, a déclaré, a substitué, siège, font, tente, s'en constituent, s'avère, s'efforce, peut, préfèrent, soumettre, s'empare, sont, sont renvoyés, perdent, est, envahissent, vont, mobilisent, ornent (176), paradent, voit, agitent, crient, s'arrêtent, se découvrent, applaudissent, ronchonnent, dénoncent, suivent, monte, méprise, dit, vient, a parlé, se dégage, est, serre, se demande (177), rentre, rapproche, a songé, est, font voir, passent, touche, décident, voit, est, va, se contient, demande, s'est levé (178), tend;

14. soient (200), ignorent, savent, quittent, prévalent, se perpétue;

15. est devenu (202), reste, est, sent, cache, oppose, exige, pratiquant, cache, paraît, a tirée, résonne, s'accroît, songe, déploie (203), aperçoit, ose, a refusé, viennent, ont, a fini, a, s'en flatte, est, se sent, est venu, retourne (205), croit, revient, a, maintient, est;

16. que dis-je? (213);

17. on sait (220), lit, soumet, écoute, traite;

18. emplissent (222), se dirigent, s'avancent, ondulant, vient, regardent;

19. a médité (224), a tenu, a été frappée, a diagnostiqué, a recommandé, s'est souvenu, a décidé, veut, a accompagné, c'est;

20. a ranimé (227), a eu, a songé, sont revenus, a passé (228), s'est rappelé, s'est per-
suadé, s'est emmuré, a su, a ajouté, a fait;

21. a levé (236), s'est éteint, est devenu, a aperçu, a soupçonné (237), a cru, vient,
félicite, se lève, vient, demeure, a envahi, a mis, sait, aperçoit, tombe, obsède,
semble-t-il, voltige, songe, attend, revoit, a troublé.

ANNEXE V
La chronologie interne de *Poussière*

Position	Événement	Date	Page
–4	Première rencontre	Janvier	17
–3	Mariage, arrivée	Fin septembre	17
–2	Restaurant et cinéma	Lendemain de l'arrivée le soir	25
–1	Avertissement de Kouri	Jeudi, 19 décembre, peu avant minuit	11
1	La grosse femme	Jeudi, 19 décembre, vers minuit	11
2	Au déjeuner	Vendredi, 20 décembre le matin	43
3	Au restaurant	Vendredi, 20 décembre, 17 heures	59
4	La soirée	Vendredi, 20 décembre	72
5	En taxi	Samedi, 21 décembre	83
6	Colère	Samedi, 21 décembre, jour	83
7	À l'hôtel	Dimanche, 22 décembre, 23 heures	106
8	Hydrocéphale	Lundi, 23 décembre, de 2 heures à 5 heures	114
9	Avec Prévost	Lundi, 23 décembre	129
10	Alain seul	Mardi, 24 décembre	135
11	Soirée de Noël	Mardi, 24 décembre, à partir de 22h30	142
12	Avec le curé	Début février	160
13	Hétu chez Alain	Samedi de février	168
14	Madeleine annonce son départ	Jeudi de février	179
15	Départ	Le lendemain, 19 heures	182-185
16	Mort de Madeleine	15 minutes plus tard	190
17	Décision d'Alain	En mai, vers 23h20	205

ANNEXE VI
Le découpage dans *Poussière*

Première Partie

1. D̄O̅: Alain dehors (11)
   DP: avertissement (11)
   P: l'air hébété (12)

2. DP: avertissement (12)
   P̲: émoi intérieur (13)
   D̄O̅: «on...» (13)

3. DP: avertissement (13)
   P̲: «Macklin...» (13)
   D̄O̅: «Cela ne concerne...» (13)

4. DP: avertissement (13)
   P̲: «Il sait...» (13)
   D̄O̅: «Bah...» (14)

5. DP: avertissement (15)
   P̲: «Il sait, lui...» (15)
   D̄O̅: «Je suis las...» (15)

6. DP: allusion à Kouri
   P̲: réflexion (16-19)
   D̄O̅: «Je ne songe guère à cela...» (19)

7. DP: avertissement (19)
   P̲: réflexion (19-23)
   D̄O̅: «J'avais oublié les paroles...» (23)

8. DP: avertissement (23)
   P̲: Alain s'abandonne (23-25)
   D̄O̅: «Je ne sais plus ce que je ressens...» (25)

9. P: images d'un passé neuf (25-38)
   DP: avertissement de Kouri (38)
   D̄O̅: «Je m'endors...» (39)

10. DP: avertissement (43)
    P̲: Alain interroge Thérèse (43)
    D̄O̅: Alain veut échapper à ses pensées (44)

11. DP: avertissement de Jim (46)
    P̲: Alain se fige (46)
    D̄O̅: il cherche à l'empêcher de parler (46)

12. AP: Alain passe chez Kouri (59)
    P̲: enquête (60)
    A̅O̅: «Le mal créé par Kouri s'est implanté...» (67)

13. AP: Alain guette (67)
    P̲: il aperçoit Madeleine (68)
    A̅O̅: «Je suis un peu perdu» (69)

14. AP: Alain achète un cadeau (69)
    P̲: achat (70)
    A̅O̅: échec... (71-75)

15. AP: Alain interroge Jim (80)
    P: conversation (80-81)
    AO: énervement (83)

16. AP: Alain parle de Hétu à Madeleine (84)
    P: conversation (84-85)
    AO: «Les mots de Jim, je n'y crois plus...» (85)

17. DP: Madeleine partie (86)
    P: colère (86-88)
    DO: colère calmée... (88-89)

Deuxième Partie

18. P: révolte (95-96)
    DP: Alain voit Madeleine (96)
    DO: «Je suis seul au monde...» (99)

19. DP: si Madeleine ne revenait pas? (100)
    P: révolte (100)
    DO: abandon (101)

20. DP: Madeleine, mon mal... (101)
    P: Alain interroge (102)
    DO: «Je me décompose...» (105)

21. DP: à l'hôtel (106)
    P: Alain interroge Kouri (106)
    DO: colère dissipée (111-112)

22. DP: Alain pense à Madeleine (130)
    P: «Ma chair ne consent pas...» (130)
    DO: «... nous serons heureux...» (131)

23. DP: Madeleine et Hétu sortent de chez Kouri (136)
    P: révolte (137)
    DO: «Je ne veux plus m'interroger...» (137)

24. DP: visages (137)
    P: énumération (137)
    DO: «Il fallait s'amollir...» (138)

25. DP: Alain pense à Madeleine (138)
    P: colère relative (138)
    DO: «Je me laisse couler...» (139)

26. DP: boire (145)
    P: souvenir (146-148)
    DO: «Mon souvenir ne réussit pas à me faire rebeller» (148)

27. DP: arrivée de Madeleine (150)
    P: aveu de Madeleine (151)
    DO: indifférence (156)

Troisième Partie

28. DP: Madeleine et Richard chez Alain (169)
    P: agissements... (169-173)
    DO: «Je me vide de ma substance» (173)

29. DP: Alain pense aux paroles du curé (173)
    P: réflexion (174-176)
    DO: «À quoi bon» (177)

30. DP: Madeleine nerveuse (179)
 P: Alain l'observe (180)
 $\overline{\text{DO}}$: «Je ne peux rien lui dire» (181)
31. DP: Madeleine est blanche (186)
 P: elle pleure (187)
 $\overline{\text{DO}}$: «Je ne veux plus voir» (187)
32. DP: annonce de la mort (189)
 P: récit (190-191)
 DO: poussière... (197)
33. AP: photo de Madeleine (204)
 P: réflexion (204-205)
 AO: «plus clairvoyant...» (205)
34. AP: Lâcheté... (212)
 P: réflexion (212)
 AO: «Je resterai» (213)

ANNEXE VII
Les figures du temps dans *Poussière*

	Analepses	
	pages	position chronologique
1. Avertissement de Kouri	12, 13, 15, 19, 23, 38	– 1
2. Arrivée à Macklin	20-23	– 3
3. Au restaurant et au cinéma	25-38	– 2
4. Au déjeuner	130-131	10
5. Première «possession»	146-148	– 4
6. Avec Hétu	169-173	14
7. Récit de la mort	192	17
8. Journée	205-211	19

	Prolepses	
1. Agirs de Madeleine	68	
2. Sens de leur vie	73	(Aucune identifiable avec précision.)
3. Sens de leur vie	130	
4. Décision d'Alain	152-153	
5. Décision d'Alain	174	
6. Agirs de Madeleine	176	
7. Propositions d'Alain	187	
8. Décision d'Alain	213	

ANNEXE VIII
Les séquences de DI dans *PV*

Discours no:	I	P	TH	s	F	C
1.	Kouri	Alain	ignorance	loc. modalisantes	explication	fuite
2.	"	"	"	négations	"	"
3.	"	"	"	interrogations	"	"
4.	"	"	oubli	----	abandon	----
5.	"	"	crainte	exclamations	décision	fuite
6.	"	"	ignorance	négations	explication	fuite
7.	Lafleur	"	crainte	----	explication	----
8.	Kouri	"	ignorance	négations	justification	fuite
9.	Madeleine	"	"	négations	explication	----
10.	"	"	"	négations	décision	----
11.	"	"	"	comme si	explication	acceptation
12.	"	"	"	loc. modalisantes	"	"
13.	"	"	"	négations	"	fuite
14.	"	"	"	loc. modalisantes	abandon	"
15.	"	"	panique	exclamations	explication	"
16.	"	"	ignorance	interrogations	"	----
17.	"	"	"	"	"	fuite
18.	"	"	"	"	"	----
19.	"	"	"	"	"	fuite
20.	"	"	"	"	"	----
21.	"	"	"	"	"	----
22.	"	"	"	"	"	décision
23.	"	"	"	négations	"	"
24.	"	"	"	"	"	fuite
25.	"	"	ignorance	interrogations	"	décision
26.	"	"	solitude	loc. modalisantes	"	fuite
27.	"	"	«lâcheté»	conditionnel	imagination	"
28.	Lafleur	"		interrogations	explication	décision

ANNEXE IX
Le découpage de *Quelqu'un*

Partie I

1. AP: Rémy veut partir (9)
   P: Rémy fait ses bagages (9-82)
   AO: Rémy part (82)

2. DP: Panne d'auto (82)
   P: Rémy au bord de la route (82)

3. AP: Une auto s'approche (82)
   P: Rémy monte (82)

Partie II

Cette partie ne contient aucun histoire au sens que lui donne Bremond, c'est-à-dire «succession d'événements d'intérêt humain dans l'unité d'une même action». Les événements, non coordonnés, s'organisent au gré du discours plutôt que de se soumettre à la logique de l'histoire.

Partie III

3. P: (suite) (111)
   AO: Rémy se rend à destination (113)

4. DP: Rémy se frappe la tête (113)
   P: Il voudrait sourire (114)
   DO: Il se sent faible (115)

5. AP: Rémy veut faire quelque chose (115)
   P: Il téléphone à Chou (116)
   A̅O̅: Il regrette son geste (117)

6. AP: Rémy veut trouver un souvenir de son fils (118)

   ...

7. AP: Rémy pense aller chez les F. (118)
   P: Les F. arrivent (119)
   AO: Rémy est accueilli (119)

   ...

6. P: Rémy cherche ce souvenir (119)
   AO: Il le trouve (119)

8. AO: Rémy s'invite chez les S. (121)
   P: Il y est reçu (121)
   AO: Il se couche (124)

9. AP: Rémy songe (124-125)
   P: Il regarde le cadre (125-136)
   AO: Le lendemain, il se lève plus lucide (137)

ANNEXE X
Inventaire des analepses dans *Quelqu'un*

Contenu	Pages	Portée	Amplitude
Partie I			
1. Vie de Rémy	10-12	?	Complète
2. Mort de son fils	13-14	3 ans	Quelques jours
3. Jeux Rémy-enfants	15-16	?	?
4. Au restaurant	17-40	?	?
4a. Rêves de jeunesse	19-20	Plusieurs années	?
4b. Conférences de Do	22	Quelques années	?
4c. Fuite du collège	28	Plusieurs années	?
5. Jeunes amours de Rémy	42	?	?
6. La musique	45-55	?	?
7. Lit et jeunesse	55-56	Plusieurs années	?
8. Cauchemars de jeunesse	57-58	Plusieurs années	?
9. En canot	59-60	15 ans	Quelques minutes
10. Avec Yvonne	63-76	Plusieurs années	?
11. Idée de film	80	?	?
12. Chez les prêtres	81	?	?
Partie II			
1. Histoire du crachoir	85	Plusieurs années	?
2. Paroles de quelqu'un	85-86	?	?
3. Bonhomme	88	?	?
4. Enfance de Rémy	89-91	Plusieurs années	?
5. Enfance au collège	96	?	?
6. La tante bien-aimée	99-100	?	?
7. Au restaurant	101-102	?	?
8. Yvonne	102-106	?	?

	Partie III		
1. Maladresse de Rémy	114-115	Enfance	?
2. Histoire de bonhomme	118	?	?
3. Idem	120-121	?	?
4. Après la mort de bonhomme	127	3 ans	un soir
5. Bêtises: aider bonhomme	134-135	?	?

BIBLIOGRAPHIE

Afin d'éviter une duplication inutile, nous présentons, conjuguées, la bibliographie et la liste des ouvrages cités. La bibliographie, sans prétendre à l'exhaustivité, fournit les titres qui ont orienté notre travail; quant aux ouvrages cités, ils sont précédés d'un astérisque.

I. LA COMMUNICATION

Austin, J.L. *How to do Things with Words*, Orford University Press, 1962.

Berlo, David K. *The Process of Communication*, N.Y., Holt, Renhart and Winston, 1960.

Bonsack, F. «Pour une interprétation objectiviste de la Théorie de l'information», dans *Dialectics*, 16, 1962, 4, p. 385-395.

Blanchard, G. et al. *Les Langages de notre temps*, Paris, Hachette, 1971, 255 p.

Bouchard, Guy. «Le roman: un instrument de communication», dans *La Communication*, Montréal, éd. Montmorency, t. 1, 1971, p. 251-256.

Carnap, R. *Introduction to Semantics*, Cambridge, Harvard Un. Press, 1946.

Cherry, Colin. «Communication and Theory of Human Behaviour», dans *Studies in Communication*, London, 1955.

_____. *On Human Communication*, New York/Londres, 1957. *La Communication*, Montréal, 1971, 2 tomes.

La Communication, sous la direction d'A. Moles et A. Zeltmann, Paris, CEPL, «Dictionnaires du Savoir Moderne», 1971, 575 p.

Communication Theory, ed. by W. Jackson, N.Y., 1953.

Delas, Daniel et Filliolet, Jacques. *Linguistique et poétique*, Paris, Larousse, «Langue et Langage», 1973.

Ducrot, Oswald. *Dire et ne pas dire; principes de sémantique linguistique*, Paris, Hermann, coll. «Savoir», 1972.

Le Dossier de la cybernétique, Paris, Marabout, 1968.

*Eco, Umberto. *L'Oeuvre ouverte*, Paris, Seuil, coll. «Pierres vives», 1965.

* _____. *La Structure absente*, Paris, Mercure de France, 1972.

Greimas, A.J. *Du sens; essais sémiotiques*, Paris, Seuil, 1970.

Guiraud, Pierre. *La Sémiologie*, Paris, PUF, 1971.

*James, William. *Le Pragmatisme*, Paris, Flammarion, coll. «Science de l'homme», 1968.

Le Langage, Paris, NRF, Gallimard, Encyclopédie La Pléiade, 1968.

*Lotman, Iouri. *La Structure du texte artistique*, Paris, NRF, Gallimard, Bibliothèque des Sciences humaines, 1973.

McLuhan, Marshall. *Pour comprendre les média*, Montréal, HMH, «H», 1969.

*Moles, Abraham. *Art et ordinateur*, Paris, Castermann, 1971.

_____. «Aspect temporel de l'intégration du message linguistique et modèles de l'audition», dans *Communications et langages*, ·Paris, Gauthier-Villars, 1963, p. 81-89.

*Moles, Abraham et Rohmer, Elizabeth. *Psychologie de l'espace*, Tournai, Castermann, 1972.
*Moles, Abraham. *Théorie de l'information et perception esthétique*, Paris, Flammarion, 1958.
Morris, Charles. «Foundation of the Theory of Signs», dans *Int. Encycl. of Unified Science*, I, 2, Chicago, 1960.
_____. *Writings on the General Theory of Signs*, La Haye/Paris, Mouton, 1971.
Mounin, Georges. *Introduction à la sémiologie*, Paris, éd. Minuit, 1970.
Peirce, C.S. *Collected Papers of Charles Sanders Peirce*, Hartshorne & Weiss ed., Harvard Un. Press, Cambridge, 6 vols, 1931-1935.
Prieto, Luis J. *Messages et signaux*, Paris, PUF, coll. SUP, 1966.
Pierce, J.R. *Symbols, Signals and Noise*, N.Y., Harper, 1961.
Ricoeur, Paul. «Discours et communication», dans *La Communication*, Montréal, éd. Montmorency, t. 2, p. 23-48.
Searle, John R. *Les Actes de langage*, Paris, Hermann, coll. «Savoir», 1972.
Sebeok, T.A. et *al. Approaches to Semiotics*, La Haye, Mouton, 1964.
*Shanon, C.E., et Weaver, W. *The Mathematical Theory of Communication*, Urbana, 1949.
Smith, Alfred G. *Communication and Culture*, N.Y., Holt, 1966.
*Watzlawick, Paul, Beavin, Janet H. et Jackson, Don D. *Une logique de la communication*, Paris, Seuil, 1972.

II. THÉORIE LITTÉRAIRE ET LINGUISTIQUE

Adam, Jean-Michel et Goldenstein, Jean-Pierre. *Linguistique et discours littéraire; théorie et pratique des textes*, Paris, Larousse, coll. «L», 1975.
Aristote. *Poétique*, Paris, Les Belles Lettres, 1952-1961.
*Barthes, Roland. «Introduction à l'analyse structurale des récits», dans *Communications*, n° 8, 1966, p. 1-27.
*Benveniste, Émile. *Problèmes de linguistique générale I*, Paris, Gallimard, 1971.
*_____. *Problèmes de linguistique générale II*, Paris, Gallimard, 1974.
Bourneuf, Roland, et Ouellet, Réal. *L'Univers du roman*, Paris, PUF, SUP, coll. «Littératures modernes», n° 2, 1972.
Boynard-Frot, Janine, *Structure du roman à thèse dans «Les jours sont longs» d'Harry Bernard*, Mémoire de M.A., Université de Sherbrooke, 1974.
*Bremond, Claude. «La logique des possibles narratifs», dans *Communications*, n° 8, 1966, p. 60-76.
*_____. *Logique du récit*, Paris, Seuil, coll. «Poétique», 1973.
Butor, Michel. *Essais sur le roman*, Paris, Gallimard, coll. «Idées», n° 188, 1969.
Chabrol, Claude. *Sémiotique narrative et textuelle*, Paris, Larousse, coll. «L», 1973.
Coquet, Jean-Claude. *Sémiotique littéraire*, Paris, Mame, coll. «Univers sémiotiques», 1973.
*Cormeau, Nelly. *Physiologie du roman*, Paris, Nizet, 1966.
*Dubois, Jean et *al. Dictionnaire de linguistique*, Paris, Larousse, 1973.
_____. *Rhétorique générale*, Paris, Larousse, coll. «Langue et Langage», 1970.
*Ducrot, Oswald et Todorov, Tzvetan. *Dictionnaire encyclopédique des sciences du langage*, Paris, Seuil, 1972.
Du Fontbaré, Vicky et Sohet, Philippe. «Codes culturels et logique de classe dans la bande dessinée», dans *Communications*, n° 24, 1966.
*Dujardin, Édouard. *Le Monologue intérieur*, Messein, 1931.
Duquette, Jean-Pierre. *Flaubert ou l'architecture du vide: une lecture de «L'Éducation sentimentale»*, Montréal, PUM, 1972.

Fontanier, Pierre. *Les Figures du discours*, Paris, Flammarion, coll. «Science», 1968.

*Francoeur, Louis. «Pour une typologie du monologue intérieur», dans *Neohelicon*, Budapest, 1977, vol. IV, n° 3-4.

*Francoeur, Marie et Francoeur, Louis. «Deux contes nord-américains considérés comme actes de langage narratifs», dans *Études littéraires*, n° 1, avril 1975, p. 57-80.

Genette, Gérard. *Figures I*, Paris, Seuil, coll. «Tel Quel», 1966.

——————. *Figures II*, Paris, Seuil, coll. «Tel Quel», 1969.

*——————. *Figures III*, Paris, Seuil, coll. «Poétique», 1972.

Greimas A.J., *Essais de sémiotique poétique*, Paris, Larousse, coll. «L», 1972.

Greimas, Algirdas Julien. *Sémantique structurale: recherche de méthode*, Paris, Larousse, coll. «Langue et Langage», 1969.

*Grevisse, Maurice. *Le Bon usage*, Paris Belgique, Duculot/Hatier, 1969.

Hamon, Philippe. «Mise au point sur les problèmes de l'analyse du récit», dans *Le Français moderne*, Paris, n° 3, 1972, p. 200-221.

——————. «Pour un statut sémiologique du personnage», dans *Littérature*, n° 5, mai 1972.

*——————. «Qu'est-ce qu'une description?», dans *Poétique*, 1972.

Hanoulle, M.J. «Quelques manifestations du discours dans *Trois contes*», dans *Poétique*, n° 9, 1972.

Hjemslev, Louis. *Prolégomènes à une théorie du langage*, Paris, éd. de Minuit, 1966.

Jakobson, Roman. *Essais de linguistique générale*, Paris, Seuil, coll. «Points», n° 17, 1970.

Jansen, Steen. «Esquisse d'une théorie de la forme dramatique», dans *Langages*, n° 12, p. 71-93.

Lefebvre, Maurice-Jean. *Structure du discours de la poésie et du récit*, Neuchatel, éd. «de la Baconnière», coll. «Langages», 1971.

Lejeune, Philippe. *Le Pacte autobiographique*, Paris, Seuil, coll. «Poétique», 1975.

Lévi-Strauss, Claude. *Anthropologie structurale*, Paris, Plon, 1971.

Lubbock, Percy. *The Craft of Fiction*, London, Jonathan Cape, 1963.

Magny, Claude-Edmonde. *Histoire du roman français depuis 1918*, Paris, Seuil, coll. «Pierres vives», 1950.

Martinet, André. *Éléments de linguistique générale*, Paris, Armand Colin, 1971.

Metz, Christian. *Essai sur la signification au cinéma*, Paris, Larousse, coll. «Langue et Langage», 1968.

*Muller, Charles. *Initiation à la statistique lexicale*, Paris, Larousse, coll. «Langue et Langage», 1968.

*Niel, André. «Le Commentaire analytique», dans *Le Français dans le monde*, n° 75, septembre 1970, p. 6-17.

Prince, Gérald. «Introduction à l'étude du narrataire», dans *Poétique*, n° 14,. 1973, p. 178-196.

*Propp, Vladimir. *Morphologie du conte*, Paris, Seuil, coll. «Points», 1970.

Ricardou, Jean. *Problèmes du nouveau-roman*, Paris, Seuil, coll. «Tel Quel», 1967.

Riffaterre, Michael. *Essais de stylistique structurale*, Paris, Flammarion, «Nouvelle bibliothèque scientifique», 1971.

Robbe-Grillet, Alain. *Pour un nouveau roman*, Paris, Gallimard, coll. «Idées», 1972.

Robidoux, Réjean et André Renaud. *Le Roman canadien-français du vingtième siècle*, Ottawa, éd. de l'Université d'Ottawa, coll. «Visages des lettres canadiennes», n° 3, 1966.

*Robins, R.H. *Linguistique générale: une introduction*, Paris, Armand Colin, 1973.

*Ruwet, Nicolas. *Langage, musique, poésie*, Paris, Seuil, coll. «Poétique», 1972.

Ruwet, Nicolas. «Limites de l'analyse linguistique en poétique», dans *Langages*, n° 12, déc. 1968, p. 56-70.

*Saussure, Ferdinand de. *Cours de linguistique générale*, Paris, Payot, 1973.

Théorie de la littérature, Paris, Seuil, coll. «Tel Quel», 1965.

*Todorov, Tzvetan. «Les catégories du récit littéraire», dans *Communications*, n° 8, 1966, p. 125-151.

——————. «La lecture comme construction», dans *Poétique*, n° 24, 1975, p. 417-425.

Van-Rossum Guyon, Françoise. *Critique du roman,* Paris, Gallimard, 1970.

Wellek, René et Warren, Austin. *La Théorie littéraire*, Paris, Seuil, coll. «Poétique», 1971.

III. LE TEMPS

Angers, Pierre. *Commentaire à L'Art Poétique de Paul Claudel avec le texte de L'Art Poétique*, Paris, Mercure de France, 1949, «Connaissance du temps», p. 67-164.

Baqué, Françoise. *Le Nouveau roman*, Paris, Bordas, 1972, «Le temps et l'espace», p. 91-112.

*Benveniste, Émile. *Problèmes de linguistique générale*, Paris, Gallimard, 1966, «L'homme dans la langue», p. 225-285.

Bourneuf, Roland, Ouellet, Réal. *L'Univers du roman*, Paris, PUF, 1972, «Le temps», p. 124-142. Bibliographie, p. 217-218.

Butor, Michel. *Essais sur le roman*, Paris, Gallimard, «Idées», no 188, 1969, «Recherches sur la technique du roman», p. 109-124.

*Cormeau, Nelly. *Physiologie du roman*, Paris, Nizet, 1966, «Les éléments secondaires du roman: l'ambiance et le temps», p. 86-114.

Dubois, Jean et al. *Rhétorique générale*, Paris, Larousse, «Figures de la narration», p. 177-184.

Duquette, Jean-Pierre. *Flaubert ou l'architecture du vide*, Montréal, PUM, 1972, «Rythmes et temps de la dégradation», p. 97-128.

Favier, Jacques. «Les jeux de la temporalité en science-fiction», dans *Littérature*, no 8, 1972, p. 53-71.

Fontanier, Pierre. *Les Figures du discours*, Paris, Flammarion, 1968.

*Genette, Gérard. *Figures III*, Paris, Seuil, 1972, «Ordre, durée, fréquence», p. 77-182.

Jean, Georges, *Le Roman*, Paris, Seuil, «Peuple et culture», n° 23, «L'emploi du temps», p. 189-190.

Magny, Claude-Edmonde. *Histoire du roman français depuis 1918*, Paris, Seuil, «Pierres vives», 1950, «Pour une axiomatique du roman: I, roman et temporalité», p. 279-304.

Mayoux, Jean-Jacques. «Temps vécu et temps créé dans Tristam Shandy», dans *Poétique*, n° 2, 1970, p. 174-185.

Onimus, Jean. «L'expression du temps dans le roman contemporain», dans *Revue de littérature comparée*, n° XXVIII, 1954, p. 299-317.

Pinchon, J. «L'homme dans la langue: l'expression du temps», dans *Langue Française*, no 21, février 1974, p. 43-54.

Poulet, Georges. *Études sur le temps humain*, Paris, Plon, 1949-1968, 4 vol.

Pouillon, Jean. *Temps et roman*, Paris, Gallimard, 1946.

Ricardou, Jean. *Problèmes du nouveau-roman*, Paris, Seuil, 1967, «Construction», p. 159-190.

Robbe-Grillet, Alain. *Pour un nouveau roman*, Paris, Gallimard, «Idées», n° 45, 1972, «Temps et description dans le récit d'aujourd'hui», p. 155-169.

Rousset, Jean. «Comment insérer le présent dans le récit: l'exemple de Marivaux», dans *Littérature*, n° 5, février 1972, p. 3-10.

*Todorov, Tzvetan. «Les catégories du récit littéraire», dans *Communications*, n° 8, 1966, p. 125-151.

Van Laere, François. *Une lecture du temps dans «La Nouvelle Héloïse»*, Neuchatel, La Baconnière, «Langages», 1968.

Van-Rossum Guyon, Françoise. *Critique du roman: essai sur «La Modification» de Michel Butor*, Paris, Gallimard, 1970, «Progression narrative et progression thématique», p. 215-277.

*Weinrich, Harald. *Le Temps; le récit et le commentaire*, Paris, Seuil, coll. «Poétique», 1973.

IV. FORME ET STRUCTURE

*Guillaume, Paul. *La Psychologie de la forme*, Paris, Flammarion, coll. «Nouvelle Bibliothèque scientifique», 1971.

*Lotman, Iouri. *La Structure du texte artistique*, Paris, Gallimard, 1973.

Michaud, Guy. *L'Oeuvre et ses techniques*, Paris, Nizet, 1968.

*Piaget, Jean. *Le Structuralisme*, Paris, PUF, coll. «Que sais-je?», n° 1311, 1970.

*Rousset, Jean. *Forme et signification: essais sur les structures littéraires de Corneille à Claudel*, Paris, José Corti, 1970.

_____. «Les réalités formelles de l'oeuvre», dans *Les Chemins actuels de la critique*, Paris, UGE, coll. «10-18», 1970.

*Todorov, Tzvetan et al. *Qu'est-ce que le structuralisme?*, Paris, Seuil, 1968.

V. ROMANS ET CRITIQUES

*Benoit, Réal. *Quelqu'un pour m'écouter*, Montréal, CLF, 1968.

*Groulx, Lionel. *L'Appel de la race*, Montréal, Fides, 1956.

*Langevin, André. *Poussière sur la ville*, Montréal, CLF, 1953.

**Études littéraires*, vol. 6, n° 2: «André Langevin», août 1973.

VI. AUTRES

*Simard, Émile. *La Nature et la portée de la méthode scientifique*, Québec, P.U.L., 1958.

*Valéry, Paul. *Oeuvres*, Paris, Gallimard, «La Pléiade», 2 t., 1957.

INDEX DES AUTEURS ET ŒUVRES CITÉS

TABLE DES MATIÈRES

Réalisation: Prof. Antoine Naaman.

Révision: Louise Boissonneault, Jacques Lafleur et l'auteur.

ÉDITIONS NAAMAN
C.P. 697
SHERBROOKE (Québec, Canada)
J1H 5K5

Ateliers de typographie Collette inc.
1831, rue Galt ouest — Sherbrooke, Québec
J1K 1J4

IMPRIMERIE H.L.N. INC.
SHERBROOKE, QUÉBEC

ISBN 2-89040-250-9

Imprimé au Canada

Printed in Canada